WARRIORS

猫武士

三力量
三部曲之③

驱逐之战
Outcast

艾琳·亨特◎著

杨　冰◎译

未 来 出 版 社

FUTURE PUBLISHING HOUSE

风靡全球的动物励志传奇故事

图书在版编目（CIP）数据

驱逐之战 / (英) 亨特 (Hunter,E.) 著；杨冰译. -- 西安：未来出版社，
2010.4（猫武士）（2012.1重印）
书名原文：Outcast
ISBN 978-7-5417-3941-5

Ⅰ.①驱… Ⅱ.①亨… ②杨… Ⅲ.①儿童文学—长篇小说—
英国—现代 Ⅳ.①I561.84

中国版本图书馆CIP数据核字(2010)第051524号

著作权合同登记：陕版出图字25-2009-098号

猫武士三部曲·三力量③驱逐之战 Outcast

选题策划	尹秉礼　冯知明
丛书统筹	孟讲儒　唐荣跃
责任编辑	董文辉　孟讲儒　唐荣跃
特约编辑	张芳　杨迪
技术监制	慕战军
发行总监	陈刚　丁杰
出版发行	未来出版社出版发行
	地址：西安市丰庆路91号　邮编：710082
	电话：029-84298551　84288355
经　销	全国各地新华书店
印　刷	荆州市今印印务有限公司
开　本	880mm×1230mm　1/32
印　张	10
字　数	200千字
印　数	59001-65000册
版　次	2010年4月第1版
印　次	2012年1月第6次印刷
书　号	ISBN 978-7-5417-3941-5
定　价	20.00元

献给杰西卡

特别感谢基立·鲍德卓。

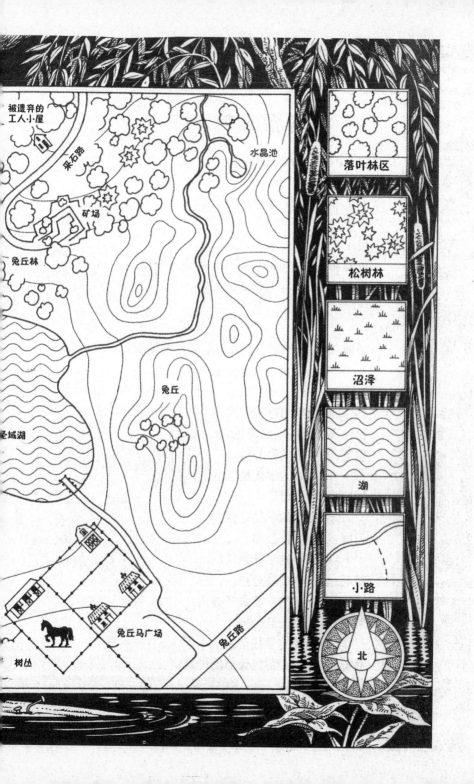

各族成员

雷族(Thunderclan)

族长

  火星:外表英俊的姜黄色公猫。

副族长

  黑莓掌:琥珀色眼睛、暗棕色的虎斑公猫。

      所指导的学徒是莓爪。

巫医

  叶池:琥珀色眼睛、白色脚爪、娇小的浅褐色虎斑母猫。

      所指导的学徒是松鸦爪。

武士(公猫和母猫均可成为武士。)

  松鼠飞:绿眼睛、暗姜色的母猫。

  尘毛:黑棕色虎斑公猫。

      所指导的学徒是榛爪。

  沙风:姜黄色母猫。

      所指导的学徒是蜜爪。

  云尾:长毛白色公猫。

      所指导的学徒是煤爪。

  蕨毛:金棕色虎斑公猫。

      所指导的学徒是冬青爪。

  刺掌:金棕色虎斑公猫。

      所指导的学徒是罂粟爪。

  亮心:白色带姜黄色斑点的母猫。

蜡毛:深蓝色眼睛、灰白色带深色斑点的公猫。
所指导的学徒是狮爪。

栗尾:琥珀色眼睛、玳瑁色加白色的母猫。

暴毛:琥珀色眼睛的深灰色公猫。

蛛足:琥珀色眼睛、四肢修长、肚子是棕色的黑色公猫。
所指导的学徒是鼠爪。

溪儿:棕色虎斑母猫。

白翅:绿眼睛的白色母猫。

桦落:浅棕色虎斑公猫。

灰条:纯灰色长毛公猫。

学徒(六个月以上的猫,正在接受武士训练。)

莓爪:乳白色公猫。

榛爪:娇小的灰白相间的母猫。

鼠爪:灰白相间的公猫。

煤爪:灰色母猫。

蜜爪:浅棕色母猫。

罂粟爪:玳瑁色母猫。

狮爪:琥珀色眼睛的金色虎斑公猫。

冬青爪:绿眼睛、黑色母猫。

松鸦爪:蓝眼睛、灰色虎斑公猫。

猫后(正在怀孕或照顾幼猫的母猫。)

米莉:体态娇小的银色斑纹母猫。

香薇云:绿眼睛、身上有深色斑点的浅灰色母猫。

黛西:乳白色的长毛母猫。

长老(退休的武士和退位的猫后。)

　　长尾:苍白带有暗黑色条纹的虎斑公猫,因视力减退而提
　　　　前从武士岗位退休。

　　鼠毛:娇小的深棕色母猫。

影族（Shadowclan）

族长

　　黑星:白色大公猫,脚爪巨大黑亮。

副族长

　　黄毛:暗姜黄色母猫,曾为泼皮猫。

巫医

　　小云:个头非常小的虎斑公猫。

武士

　　橡毛:小个子的棕色公猫。

　　烟足:黑色公猫。

　　　　所指导的学徒是鹰爪。

　　花楸掌:姜黄色公猫。

　　常春藤尾:黑白相间的玳瑁色母猫。

　　蟾足:黑褐色公猫。

猫后

　　褐皮:绿色眼睛的玳瑁母猫。

　　雪鸟:白色母猫。

长老

    杉心：暗灰色公猫。

    高红：长腿、淡褐色的虎斑母猫。

风族（Windclan）

族长

    一星：棕色虎斑公猫。

副族长

    灰脚：灰色母猫。

巫医

    青面：短尾棕色公猫。

        所指导的学徒是隼爪。

武士

    裂耳：虎斑公猫。

    枭羽：亮棕色虎斑公猫。

    鸦羽：蓝眼睛的灰黑色公猫。

        所指导的学徒是石楠爪。

    白尾：小个头白色母猫。

        所指导的学徒是风爪。

    夜云：黑色母猫。

    鼬毛：白色脚掌的姜黄色公猫。

    兔泉：棕色和白色相间的公猫。

猫后

    金雀花尾：蓝眼睛、灰白相间的母猫。

长老

    晨花：非常老的花斑母猫。

    网脚：暗灰色虎斑公猫。

河族（Riverclan）

族长

    豹星：身上长有醒目的金黄色斑点的虎斑母猫。

副族长

    雾脚：蓝眼睛的暗灰色母猫。

巫医

    蛾翅：琥珀色眼睛、漂亮的金色虎斑母猫。

        所指导的学徒是柳爪。

武士

    黑掌：棕黑色虎斑公猫。

    芦苇须：黑色公猫。

    藓毛：玳瑁色母猫。

        所指导的学徒是卵石爪。

    田鼠齿：娇小的棕色虎斑公猫。

        所指导的学徒是鱼爪。

    榉毛：浅棕色公猫。

涟尾:深灰色公猫。

晨花:花斑母猫。

斑鼻:灰色母猫。

扑尾:姜黄色与白色相间的公猫。

猫后

灰雾:纯灰色虎斑猫,小喷嚏和小锦葵的妈妈。

冰翅:蓝眼睛的白色母猫。小甲壳虫、小刺、小花和小草的妈妈。

长老

巨步:强壮的虎斑公猫。

燕尾:深色虎斑母猫。

石流:灰色公猫。

急水部落(The Tribe of Rushing Water)

部落巫师

尖石巫师:琥珀色眼睛的棕色虎斑猫。

狩猎猫(负责猎捕食物的公猫和母猫。)

灰濛:浅灰色虎斑公猫。

翅影:灰白相间的母猫。

护穴猫(负责守卫洞穴的公猫和母猫。)

鹰爪:棕色虎斑猫,曾经是被放逐的猫们的领袖。

锯齿:暗灰色公猫,曾经被放逐过。

飞鸟:棕灰色虎斑母猫,曾经被放逐过。

鹰崖:暗灰色公猫。

陡径:暗棕色虎斑公猫。

无星之夜:黑色母猫。

苔藓:浅棕色母猫。

猫妈妈(正在怀孕或照顾幼猫的母猫。)

鹭翔:棕色虎斑母猫。

栗鹰爪:姜黄色母猫。

半大猫(部落学徒。)

怒枭:黑色公猫。

鱼跃斑:浅棕色虎斑母猫。

滚石:灰色母猫。

长老(退位的狩猎猫和护穴猫。)

暴云:白色母猫。

雨水:带有棕色斑点的公猫。

族群以外的猫(Cats Outside Clans)

银斑:琥珀色眼睛、带有黑色条纹的大个头虎斑猫。

弗里克:大耳朵、瘦小的浅棕色公猫。

弗洛拉:绿眼睛、深棕色和白色相间的母猫。

波弟:带有灰色口鼻、体态丰满的老虎斑猫。

引 子

"盗猎猫！这是我们的领地。"一只灰毛公猫张牙舞爪地咆哮道。他气得颈毛倒竖，龇牙咧嘴，怒视着蹲伏在下方陡峭小路上的那群猫。那些猫的爪子都伸得老长，眼里闪着饥饿的光。一只猫嘴里叼着兔子，兔子还没僵硬的身体在他的下巴下晃荡。"这是我们的领地，我们的猎物。"

一只银色虎斑公猫傲慢地瞪了他一眼："如果这是你们的领地，为什么没有边界标记呢？每只猫都可以捕食这里的猎物。"

"你知道，不是这样的。"一只黑色母猫站到灰毛公猫旁边，尾巴有力地摆动着。"马上滚出去！"她又低声补充道，"鹰崖，我们打不过他们。记住上次的教训。"

"我知道，无星之夜。"灰毛公猫回答说，"但我们有别的选择吗？"

鹰崖的另一边，一只巨大的棕色虎斑公猫冲上前来，嘴里发出狂怒的嘶嘶声。"敢再动一步，我就撕掉你们的皮！"他咆哮道。

鹰崖用尾巴尖轻轻碰了碰虎斑猫的肩膀。"鹰爪，别冲动。"他警告道，"不到万不得已，我们不动武。"

更多的猫从下面那条小路的拐弯处走过来，将银色虎斑猫身后的狭窄空间挤得满满的。

"陡径，"鹰崖轻轻地摆了摆耳朵，将一只小虎斑公猫召唤到跟前，"回洞穴去。快走！告诉大家，侵略者回来了！"

"可是——"陡径显然在犹豫，他不想在同伴们势单力薄的情况下独自逃走。

"快走！"鹰崖厉声说道。

陡径转过身，顺着小路狂奔而去。

太阳缓缓西沉。岩石在血红色的粗糙地面上投下长长的影子，只有微弱的潺潺流水声，以及空中老鹰刺耳的尖叫声打破这份宁静。

"你们只能到此为止。"鹰崖说道，"马上掉头，去别的地方猎食！"

"你算老几啊，竟敢向我们发号施令？"银色虎斑猫讥讽道。

"如果再这样赖着不走，会有你们好看的！"鹰爪怒声说。

鹰崖的捕猎队员挤到他两边，封住小路。但对方的猫开始散开，纷纷爬到两边的大石头上。鹰崖蹲伏下来，绷紧肌肉。如果必须打仗，他会毫不犹豫地投入战斗，不管上次发生过什么。

"住手！"

一只棕色虎斑公猫从鹰崖的捕猎队中挤过来，站到侵略者面前。尽管口鼻上的毛已经灰白，但他的肌肉仍然结实有力。

"我是尖石巫师，急水部落的首领。"他高昂着头大声宣布道，声音在岩石间回荡，"这是我们的领地，你们在此不受欢迎。"

"领地只属于可以捍卫它的猫群。"银色虎斑猫反唇相讥。

"难道你们忘了，结冰之前是怎样被我们赶出去的吗？"尖石巫师怒吼道，"你们若不马上离开，我们同样会把你们驱逐出去！"

银色虎斑猫眯起双眼，说道："把我们赶出去？我记得不是这样的。"

"我们是自己要走的。"一只棕色和白色相间的母猫蹲伏在大石顶上，补充道，"我们找到了一个更好的地方度过秃叶季，那里的猎物更多。"

"现在，我们回来了！"虎斑公猫摆动着尾巴说，"几只瘦骨嶙峋、满身跳蚤的可怜猫休想阻止我们！"他屈伸爪子，刨着石头。

"这里历来就是急水部落的家。"尖石巫师说道，"我们——"

他的话被淹没在一声怒吼之中。那只棕色和白色相间的母猫已经从大石顶上跳了下来，四只爪子牢牢地抓住了无星之夜的肩膀。同时，虎斑公猫发出一声可怕的尖叫，一头撞向鹰崖。鹰崖翻滚着，奋力去抓虎斑猫。空气中顿时充满了群猫的厮打声和尖叫声。

天空的尽头，杀无尽部落无助地观望着。

第 一 章

　　松鸦爪舒展四肢,感觉到太阳正暖洋洋地照在身上。和风拂面,空气中弥漫着绿色植物的清香。头顶的什么地方,一只小鸟在鸣叫,他还能听到湖水轻轻拍打岸边的声音。

　　"松鸦爪!"

　　波浪声中传来很轻的脚步声。松鸦爪想象着老师在湖边浅水中踏浪而行的情景。

　　"松鸦爪!"叶池又叫了一声,听上去更近了,"过来。脚垫踩在冰凉湖水上的感觉真是妙极了。"

　　"不了,谢谢。"松鸦爪嘀咕道。

　　在他看来,水的含义不是湖水轻拍脚掌的感觉。相反,波浪声让他想到的是,冰冷的水正从四周漫过来,湿透的皮毛把他往水里拽,水灌进嘴巴和鼻子,呛得他喘不过气来。他在梦中被淹死过一次,他梦见自己与那名远古武士落叶在山洞中迷了路。还有那次,他和族猫一起去救风族小猫时,差点儿真的被淹死。

　　我生命中的水已经够多,余生不再需要了。

　　"好吧。"叶池的脚步声渐渐远去。现在,她好像走得更快了,

仿佛一只无忧无虑的小猫在浅水中跳跃。

松鸦爪顺着湖水边缘往前走。他本应寻找锦葵的，但细细分辨微风的气味时，却无法嗅到那熟悉的香味。叶池的脚步声刚刚消逝在远方，他便从水边走开，爬回到岸上。有比找药草更重要的事情等着他去做。他疾步前行，鼻子凑近地面，在草丛和灌木中一路嗅着往前走，一直走到一棵盘根错节的树下。

就是这里！

松鸦爪用牙齿咬住树枝的一头，将它从树根后面拉了出来。那树根可以牢牢地把树枝固定在岸上，以免它被汹涌的波浪冲走。他在树枝旁蹲伏下来，用脚掌抚摸着那些刻痕，找到了那五条长线和三条短线，它们分别代表涨水时，被困在山洞里的五名学徒和三只小猫。八条刻痕都很深：这代表每只猫都活着出来了。松鸦爪还记得当时留下这些刻痕时的情景：岩石的气味萦绕在他身边，他几乎能感觉到，那只远古猫光秃秃的脚掌正在牵动他的爪子。

但松鸦爪还能感觉到那条没有刻出来的爪痕：落叶——给他们指路的那只远古猫，还在山洞中孑然独行。

他闭上眼睛，侧耳倾听过去常在耳边回响的低语声。但除了风儿在林间拂过的声音以及湖水的波动声，他什么也没听见。"落叶？岩石？"他低语道，"你们在哪里？为什么不和我说话？"

但没有回答。松鸦爪把树枝再拖出来一些，并将它伸下湖岸，直到湖水能冲刷到它为止。他从树枝这端一直嗅到那端，但过去的一切都消失了。

猫武士

　　他吃力地吞咽着，仿佛马上就会像失去母亲的小猫一样号啕大哭。他想和岩石说话，想更多地了解那些很久以前在湖边居住的猫的事情。他想知道，落叶为什么会被独自留在那些洞穴中，而其他的远古猫，甚至死在洞里的其他的猫，到底都去了别的什么地方。

　　松鸦爪坚信，这些猫就是在月池时，围绕在他身边的那些身影。那条通往月池的螺旋式小路上的脚印，就是他们留下的。他们比族猫古老得多，甚至比星族猫还要老。他们一定有许多智慧可以传授给他！他们甚至能为他解释那个预言——他在火星的梦中听到的那些神秘话语。

　　"将有三只猫，你至亲的至亲，掌握着星族的力量！"

　　"松鸦爪，你在做什么呀？"

　　松鸦爪一惊。他刚才一直在想那些远古猫，注意力集中在树枝上，没听到叶池过来了。现在，他已经能闻出她就在旁边，还感觉到了她的不悦。

　　"对不起。"他喃喃地说道。

　　"松鸦爪，族群需要更多的锦葵。尽管我们现在没有濒临战争边缘，但这并不意味着族猫就不会生病或受伤。巫医必须随时做好准备。"

　　"我知道啦，行了吧？"松鸦爪不服气地说。是谁让战争停止的？他在心里问道。如果不是我和其他猫找到那些失踪的小猫，风族和雷族会把彼此撕成碎片的。

　　他不想在老师面前为自己辩解。他把树枝拖回岸上，重新藏到树根下。他一直能感觉到,叶池正用严厉的目光在旁边看着他。然后,他迈步从她身边走开,沿着湖岸往前走,嘴巴大张着,捕捉植物的气息。

没走多远,他突然停下脚步,茫然地凝视着湖面。微风把他的毛发吹得紧贴在身上。

你们在哪里?他在心里呼唤着那些远古猫。和我说话吧,求求你们!

"松鸦爪!嗨,松鸦爪!"

这不是他此刻想听到的声音。他强忍住心中涌起的一丝恼怒,转身面对着榛爪。他能闻出她的气味,还能听到她蹦蹦跳跳地向自己跑过来——像突发痉挛的狐狸一样,在凤尾蕨中跌跌撞撞。

"看我抓到什么了!"榛爪的声音听上去很高兴,但有点儿含糊不清,大约嘴里正叼着一只猎物。

松鸦爪不想指出自己根本看不见任何东西。而且,浓烈的田鼠气味已经让他知道榛爪拿来了什么。

"这是我参加的最后一次捕猎测试哦。"这名学徒的声音更清晰了,她一定是放下了猎物,"如果我们成绩不错,我和莓爪、鼠爪今天就可以升为武士啦。"

"好极了。"松鸦爪尽量让自己的声音听上去热情一些,但心里仍然很不高兴,因为他不想在自己试图捕捉远古猫的声音时被打扰。

"尘毛一定会很高兴。"榛爪继续说道,"这只田鼠超大哦!足

够喂饱黛西刚生下的两只幼崽了。"

"黛西的幼崽还不能吃田鼠。"松鸦爪提醒她。她是不是十足的鼠脑袋啊？"他们出生才四天。"

"嗯，那就给黛西吃。"榛爪的声音仍然很兴奋，"现在她需要补充营养，因为要喂养幼崽。你去看过小猫了吗？他们是我见过的最可爱的小家伙！黛西说给他们取名为小玫瑰和小蟾蜍。"

"知道啦。"松鸦爪短促地喵了一声。

"我简直等不及了，巴不得他们赶快长大，从育婴室里出来玩耍。"榛爪还在唠叨，"你认为，火星可能让我成为他们其中一个的老师吗？到时候，我已经是一名经验丰富的武士了。"

"他们是你同母异父的弟弟和妹妹。"松鸦爪打击她，"火星可能不会——"

"榛爪！"一个刺耳的声音传来，打断了他的话。松鸦爪听到了榛爪的老师尘毛飒飒的脚步声。这名虎斑武士正穿过凤尾蕨走过来，浑身透出一波波压抑不住的气恼。"你是在捕猎还是在扯八卦？"他厉声问道。

"对不起。尘毛，你看到我捉的田鼠了吗？好大哦！"

松鸦爪听到尘毛走过来嗅闻那只田鼠的声音。

"很好，"武士说道，"但这并不意味着你可以休息，可以无所事事了。森林里还有很多猎物。我先把这只带回营地，你继续捕猎吧。"

"好的。松鸦爪，回头见！"

榛爪蹦蹦跳跳地走远了。松鸦爪居然还没忘记向她喊一声：

"祝你好运！"但他的心思已经回到那些远古猫身上了。他们的沉默让他心烦意乱。我做错什么了吗？岩石和落叶生我的气了？他脑子里还在琢磨这些问题的时候，突然发现了一丛锦葵。他用牙齿咬下一些茎干，准备带回营地。

正要完成任务时，身后传来了叶池的声音。"棒极了，松鸦爪。我们走吧。"

松鸦爪用嘴衔起那些茎干。这正是不说话的好借口。他跟在老师身后，穿过森林往回走，仍然心不在焉，根本注意不到猎物的气味，也没听到灌木丛中小生灵们发出的声音。他仿佛身在另一个时空，正踩着那些远古猫的足迹迈步前行。

这时，一只小鸟突然发出惊叫。松鸦爪感觉到，小鸟正在他鼻子前面猛烈地拍动翅膀，他立即扔下锦葵，向后一跳。

"唉！"莓爪愤怒的叹息声从不远处传来，"你把我的画眉鸟吓跑啦。你难道看不见我在追它吗？"

"没错，我就是看不见。"松鸦爪对自己的笨拙感到又羞又恼，说话也粗暴起来，"我是个瞎子，你该不会没注意到吧？"

"但你可以做得更好的。"叶池责备道，"松鸦爪，把心思放在手头的事情上。你一上午比兔子还心神不定呢。"

"啊，糟糕，他把我的测试搞砸了。"莓爪嘀咕道，"如果不是他，我已经把那只画眉鸟抓住了。"

"我知道。"黑莓掌的声音传了过来。

松鸦爪嗅出，这名雷族副族长就在不远处，鼠爪和他的老师蛛足也在附近。啊，不会吧！整个雷族都在观看吗？

"猎物已经跑了，哭也没用。"黑莓掌继续说，他走得更近了，"武士不会因为小挫折而生气。走吧，莓爪，看看你能不能在那边的树根中间找到一只老鼠。"

"好的。"松鸦爪从莓爪的声音中感觉到，尽管老师说了那番话，但他还是在生气，"松鸦爪，别再碍我的事了，好吗？"

"当然可以。"松鸦爪没好气地说道。

"对，我们早该回空地去了。"叶池用肩膀轻轻推了松鸦爪一下，"走这边。"

我知道营地在哪儿，拜托！

松鸦爪重新衔起药草，跟在老师身后，穿过荆棘通道，走进石头山谷。他拂开巫医巢穴前面的黑莓帘，把药草放到后面的石头裂缝里。

"我去吃点儿新鲜猎物，好吗？"他问道。

"等一下，松鸦爪。"叶池把药草放下，坐到他面前。松鸦爪能够感觉到她的不耐烦和不悦。"真不知道你最近是怎么回事，"她说，"自从你和其他猫在湖边找到那些风族小猫之后……"

她显然想问些什么。松鸦爪能感觉到，一股强烈的好奇心正从她身上冒出来。叶池一定知道，他和哥哥姐姐讲的故事背后还隐藏着其他东西。但他无论如何都不会透露，小猫们其实不是想在湖边露营，而是想弄明白，雷族和风族领地下面的那些山洞是怎么回事。他知道，狮爪和冬青爪，以及风族学徒石楠爪和风爪也不会说出去。谁都不想承认，狮爪和石楠爪已经在山洞中玩耍很长时间了。

因此,他们不能说差点儿和那些失踪小猫一起被淹死,因为雨水灌满山洞,将地下河变成了可怕的洪水坑。松鸦爪现在还经常梦到那条湍急得令人窒息的河流。

"松鸦爪,你没事吧?"叶池继续说道。她的恼怒逐渐平息,声音里充满关切。这种关切如同一股黏稠的洪流,几乎要将松鸦爪吞没,就像山洞里的水一样。"如果你有什么事,你会告诉我的,是吗?"

"当然。"他嘀咕道,心里希望老师不会听出他在撒谎,"一切都很好啦。"

松鸦爪知道,叶池在犹豫要不要继续追问。他感觉身上的毛开始不由自主地竖立起来,但巫医只是叹了口气说:"那你去吃点东西吧。回头天气凉快一些时,我们再去两脚兽巢穴附近采些猫薄荷。"

她的话还没说完,松鸦爪便已经推开黑莓帘走出去了。他走到新鲜猎物堆前,挑出一只肥老鼠,叼回巫医巢穴外一个阳光灿烂的地方,慢慢地吃起来。最热的时候刚刚过去,洞穴中暖暖的。吃饱肚子之后,他舒舒服服地侧躺下来,用一只脚掌清洁胡须。

煤爪和冬青爪刚刚从荆棘通道走进来。尽管隔着一段距离,松鸦爪也能闻出她们皮毛上残留着训练场地的苔藓味。

"对不起,每次都是我打败你。"冬青爪不好意思地说道,"你真的没事吗?"

"我没事啦。"煤爪认真地说,"如果你不用尽全力,让我赢你,我反而会有事。"

她的声音听上去很勇敢，但松鸦爪可以从她的步伐中判断出，那条伤腿让她很难受。巫医也没其他办法，只有时间能让那条腿强健起来。或者，煤爪注定永远成不了武士，就像之前的炭毛一样。

育婴室里传来一阵尖厉的叫声，松鸦爪的注意力从煤爪身上转移开来，不由自主地缩起身子。黛西的幼崽尽管刚出生四天，但声音却大得惊人。他们的父亲蛛足一直坚持带鼠爪出去训练，尽管尘毛已经主动提出帮他履行老师职责，以便他有更多时间待在育婴室里，但松鸦爪认为，蛛足和幼崽们在一起时显得很尴尬，好像还不能适应父亲的角色。

松鸦爪想，不管怎么说，育婴室都相当拥挤了。香薇云最小的幼崽小冰和小狐尽管已经足够大，几乎能做学徒了，但还住在那里。米莉也刚搬进去，等着分娩。松鸦爪知道，火星对此很自豪，因为雷族正变得强大起来，尽管他有时也要担心族猫怎样填饱肚子。

荆棘通道中传来更多的沙沙声。狮爪摇摇晃晃地走进来，他的老师蜡毛紧随其后。

"两只老鼠，一只松鼠耶！"蜡毛高兴地叫道，"狮爪，干得不错。这才是我期待你取得的捕猎成绩。"

蜡毛嘴里虽然说着这些赞扬的话，但听上去却毫无热情。松鸦爪心想，哥哥和蜡毛的关系从来都不算融洽，不像老师和学徒之间应该的那样。他不知道这是怎么回事，总觉得蜡毛身上有些他不理解的东西。

但这可能不重要,松鸦爪不再去想这个问题。狮爪沉重地倒在他身边,嘴里衔着一只老鼠。

"好累呀!"他抱怨道,"我还以为要一路追逐那只松鼠,一直追到影族去呢。"

"你管那么多干吗?"松鸦爪冷淡地说道,"今天又没轮到你测试。"

"我知道。"狮爪嚼着新鲜猎物,嘀咕道,"但问题不在这儿。优秀的武士永远会尽最大努力,让族猫吃饱肚子。"

松鸦爪知道,狮爪想成为最好的武士。他还知道,自从他们在山洞里找到那些小猫之后,哥哥是怎样变得紧张和坚定起来的。他甚至不需要猜测狮爪的心思,就知道其中的原因:他已经决定全神贯注于训练,不再秘密约会风族学徒石楠爪了。

松鸦爪同情地抽了抽胡须。成为巫医学徒后,他可以与族群之外的猫交朋友。不过,他却无法想象自己会那样做。怎么可能有猫会相信外族猫呢?

他突然听到一颗小圆石落下的声音,不由得一惊。原来是火星正从高岩上跳下来。他的声音也从武士巢穴附近传来。

"我们需要组建一支边界巡逻队。你们哪个——"

狮爪从松鸦爪身旁一跃而起,主动请缨:"我去!"

松鸦爪起初不明白,为什么火星要组建巡逻队,但随即便想起黑莓掌在森林里对莓爪进行测试的事。

"谢谢你,狮爪。"火星甩了甩尾巴,"但你看起来已经很累了。"

狮爪只得重新坐下。松鸦爪能感觉到他的失望。

"我去吧。"灰条说着，从武士巢穴走了出来。

"我也去。"松鼠飞跟在灰条后面说道。

"我和蜜爪都去。"松鸦爪听到，沙风从学徒巢穴的方向走过来。她的学徒走在她旁边。

"很好。"火星感到很满意，"我想，你们应该去看看与风族之间的边界。小猫被找到后，一切风平浪静，但谁也无法预料以后的事。"

"我们会查看那些气味标记是否被破坏过。"灰条保证道，"如果我们看到——"

他突然打住话头。荆棘通道中传来了兴奋的喵呜声和重重的脚步声。松鸦爪坐起身，嘴巴微张，分辨新来者的不同气味。莓爪率先走进空地，榛爪和鼠爪紧随其后，接下来是他们的老师黑莓掌、尘毛和蛛足。

"我们成功了！"莓爪胜利的叫声在石头山谷中回荡，"我们都通过了测试，我们现在是武士啦！"

"莓爪，"黑莓掌严厉地说，"这得由火星来决定。"

"对不起。"松鸦爪能感觉到莓爪突然的沮丧，并想象着他垂头夹尾的样子，"但我们会成为武士的，对吗？"

"也许，我们该测试一下你能把嘴闭多紧。"尘毛呵斥道。

"没关系。"火星听上去并没有生气，"如果老师们提出要求，我们可以安排武士命名仪式。"

"那边界巡逻的事怎么办？"灰条着急地问道。

"可以等到黄昏。本来我们也知道没什么大麻烦。"

所有学徒都兴奋地聚集在自己的洞穴边。狮爪疾步走过去，加入到他们的行列中。松鸦爪站起来，舒展了一下身子后，才慢吞吞地跟了过去。

走到可以听见学徒说话的地方时，他听到莓爪正在说："还有两只田鼠……如果不是他把那只画眉吓跑了，我本来也能抓到它的。"

松鸦爪的颈毛立即竖了起来，但他还没来得及说什么，冬青爪已经跳过来保护他："那有什么关系？反正你也通过测试了。"

松鸦爪的尾巴尖颤动起来。我能照顾自己，拜托啦！

"我抓到了一只奇大无比的田鼠哦。"榛爪兴奋异常，没注意到莓爪和松鸦爪之间的敌意，"一只黑鸟正要飞走时，被我一扑而中。尘毛说，他从没见过那么漂亮的一跃。"

"太棒了！"蜜爪听起来兴致勃勃。

"我抓到一只松鼠。"鼠爪得意洋洋地说。松鸦爪想起了那个爬到天橡树上去追松鼠，结果吓得不敢爬下来的学徒。煤爪上去接他，结果发生意外从树枝上滑了下来，腿都摔断了。松鸦爪敢打赌，鼠爪的松鼠是在地上抓到的，如果不是，他宁愿去帮长老捉虱子。

"我真希望被测试的是我们，你呢？"冬青爪悄悄地对狮爪说道，"有时，我觉得我们永远成不了武士。"

"我知道。"狮爪听上去同样满心羡慕，然后，他似乎下了很大的决心，"我们必须更加努力。嗯，就这样。"

松鸦爪没有插话。他在想其他的事情。他的巫医训练要好长好长的时间才能完成,等他得到相应的名号时,他将仍然是叶池的学徒。只要叶池还活着,他就不能成为真正的巫医。尽管一想到自己的手足都自顾自地往前走了,他就浑身刺痛,但他更不想让老师加入星族。

再者,那个预言说,他和其他两只小猫一出生,就掌握着星族的力量。预言并没说他们必须是武士。

火星的声音从高岩上传来:"所有能够自行狩猎的猫到高岩下集合!"

族猫纷纷走出洞穴,不同气味涌入空地,松鸦爪能分辨出鼠毛和长尾的气味,他们从榛树丛下的长老巢穴中走了出来。叶池从巫医巢穴中走出来,坐在黑莓帘外。

然后,其他气味都被黛西的气味淹没了。她正向学徒那边走过去。

"莓爪,看看你!"她惊叫道,"你的毛向四面八方支棱着。还有榛爪——你是不是把从这里到湖边的每根芒刺都带回来了?"

松鸦爪听到了急促的舔毛声。

"好啦,我自己会做。"莓爪抗议道。

"少废话。"黛西责备道,"你们这副脏兮兮的样子,活像泼皮猫,怎么去参加武士命名仪式啊?任何一只猫都会认为我没把你们教好。"她又开始舔舐莓爪。然后,她停下来补充道:"鼠爪,你也好不到哪儿去!看看你的尾巴像什么样子!"

"但愿火星已经忘记我的尾巴了!"莓爪焦急地说,"他可能

以它为由不让我升为武士呢。”

莓爪的尾巴只有短短的一截。他小时候偷偷从营地溜出去捕猎,尾巴被狐狸陷阱夹断了。

“要不,你干脆叫‘莓爪短尾’?”罂粟爪揶揄道,“不过太拗口了!”

“不,不要!”莓爪哀号道,“火星不会的。他不会吧?”

“别傻了。”黛西喵了一声。

“你不用担心这个。”亮心的声音传了过来。她的气味混合在各种气味中,以至于松鸦爪没注意到她过来了。“那群狗袭击我之后,蓝星给我取名‘夺面’,但火星当上副族长之后,把这名字改了。我相信,他不会给任何猫取难听的名字的。”

“但愿如此!”莓爪听上去仍然不放心。

松鸦爪想到了亮心刚才所说的话,突然警觉起来。“你认为,叶池给我取巫医名字时,会考虑我是瞎子吗?”他伏在冬青爪耳边悄悄说道。

“比如叫你‘松鸦无眼’之类的?那不是和‘莓爪短尾’一样愚蠢吗?”姐姐回答道。

“你认为这很愚蠢,但叶池会不会——”

“都不要说话了。”灰条插话说,“仪式马上就要开始了。”

狮爪用力碰了松鸦爪一下:“走吧,我们到前面去找个好位置,我想把一切都好好地看清楚。”

松鸦爪与哥哥姐姐以及其他学徒走到聚集在火星周围的猫群前面。他能感觉到,那三只即将成为武士的小猫非常自豪,也

能想象到，在母亲的一阵狂舔之后，他们一定个个毛色光滑鲜亮。黛西同样感到高兴，不过，松鸦爪也感觉到了她的焦虑，因为她把两只幼崽留在育婴室里了。

然后，他嗅出香薇云正和小冰、小狐坐在育婴室外面。小玫瑰和小蟾蜍的母亲去看哥哥姐姐的命名仪式了，这位友善的猫后留在这里确保那两只刚出生的幼崽，不会因此受到任何伤害。

族猫兴奋的低语声慢慢停止，火星开始发言："今天是雷族的好日子。没有新的武士，任何族群都无法生存。黑莓掌，你的学徒莓爪已经准备好，可以升级为武士了吗？"

"他已经训练得很好了。"黑莓掌肯定地回答着。

火星继续询问另外两位老师尘毛和蛛足。松鸦爪能感觉出三名学徒愈发兴奋。然后，他听到了他们的脚步声。学徒走上前，站到火星面前。

"我，火星，雷族族长，恳请武士祖灵俯瞰这三名学徒。"族长的声音在森林间回荡，"他们已经进行了刻苦的训练，理解了祖灵们崇高的武士守则，现在，我将他们作为武士推荐给你们。莓爪、榛爪、鼠爪，你们必须拥护武士守则，保护和捍卫这个族群，即使以生命为代价。你们能发誓吗？"

"我发誓！"三只小猫同时回答。莓爪的声音最洪亮。

有那么一小会儿，松鸦爪感到全身的毛发都妒忌地直立起来。有一天，他也将参加自己的巫医命名仪式。但他永远不能站在族猫面前，发誓用生命捍卫族群。

"现在，我以星族的名义赐予你们武士名号。"火星继续说道，"莓爪，从此刻起，你的名字是莓鼻。"

没等族长说完，新武士便惊喜地插话说："好的，谢谢您！"

族猫们发出一阵嬉笑声。不过，松鸦爪察觉到，莓鼻曾经的老师黑莓掌恼怒地嘘了一声。

火星等喧闹声安静下来之后，才继续说："星族向你的勇敢和热情表示敬意，我们欢迎你成为雷族的正式武士！"

营地里突然安静下来。松鸦爪知道，火星会把鼻子顶在莓鼻头上，莓鼻也将舔舐族长的肩膀。然后，火星继续将榛爪命名为榛尾，鼠爪则更名为鼠须。

"雷族为你们自豪。"火星最后说道，"希望你们忠诚地为族群效力。"

"鼠须！榛尾！莓鼻！"族猫用热情的叫喊声欢迎三名新武士。

松鸦爪感觉到了新责任赋予新武士的那份自豪，感觉到了每只猫心中更强烈的自信。雷族正在力量和数量上壮大起来，大迁徙的艰辛正在慢慢地成为记忆。

但还有别的什么东西像薄雾一样弥漫在空地上，那是超越雷族，追溯到很久以前，那些出入森林的远古猫的传统。如果落叶活着从山洞中出来了，他会得到这样的欢迎吗？

松鸦爪很想知道：那些猫发生了什么事？他们去了哪里？

WARRIORS
猫武士

第 二 章

　　狮爪穿过一丛丛被露水打湿的深草，浑身的毛发都被浸湿了。他冷得直打战，还不停地眨巴眼睛，试图驱赶浓浓的睡意。黑压压的乌云笼罩着森林，但树梢之上有个地方渐渐亮起来，太阳正从那里升起。

　　黎明巡逻队正向风族领地进发。蜡毛和莓鼻就在前方不远处，正在低声商量着什么，但声音太小，狮爪根本听不到。不久之后，莓鼻回过头来。"不要落下太远哦，"他大声说道，"当心狐狸陷阱。"

　　"你自己才要当心。"狮爪嘀咕道。这只乳白色公猫只当了三天武士，就已经表现得像个老师了，但他别以为我会听他的命令！

　　狮爪故意让自己掉队更远。走过那丛荆棘灌木，看到山洞入口时，他的记忆又活跃起来。入口看上去像个隐蔽的兔子洞，几乎被凤尾蕨遮住了，但之前，这个洞口通往一个有地下河的洞穴，从那里可以进入风族领地。一想起自己过去常在夜晚钻进那些山洞，和石楠爪约会，狮爪心里就隐隐作痛。真希望能回到她

还是石楠星，是暗族族长的时候。那时，他是她忠实的副族长。

他在洞口外犹豫了一会儿，然后情不自禁地挤进去，顺着山洞爬到当初被淹没时，留下的那一大摊淤泥面前。他张开嘴，但只能闻到湿泥土和蚯蚓的味道。

"狮爪！我知道你在里面！"莓鼻喊道，"快点儿出来！"

狮爪很想不理他，但立即意识到那是很愚蠢的做法。他不想留在这个潮湿、沉闷的山洞里。于是他扭动着身子，慢慢往后退，直到可以站直身子，将毛发上的泥土抖落干净。

莓鼻正站在他面前，乳白色的毛竖立着。蜡毛站在不远处，蓝眼睛里闪着沉静的光，难以捉摸。

"你在干什么啊?去这么危险的地方探险?"莓鼻喝问道，"万一山洞塌陷怎么办?你是不是以为，我们会像上次那样把你挖出来？"

在那次白日森林大会中，狮爪掉进一个很久以前的獾洞陷阱中，差点儿窒息而死。但这完全是两码事。而且，不管怎么说，又不是莓鼻把他挖出来的。

"轮不到你对我吆五喝六。"他抢白道，"你又不是我的老师。"

"那就别像只愚蠢的小猫一样！"

狮爪用爪子紧紧抓住地面，以免自己失控，会猛击这只傲慢的公猫一掌。"不准叫我小猫!"他怒吼道，"你的气味还没从学徒巢穴里消失呢，就已经——"

"够了。"蜡毛干预道，"莓鼻，还是我来教育他吧。谢谢你。狮

爪，他说得对，你没必要把鼻子伸进从这里到风族的每一个洞穴，除非洞里发出可疑的味道。"

"不，可能有必要！"狮爪为自己辩护。

蜡毛没说什么，只是不耐烦地摆了摆尾巴："走吧。"

狮爪又狠狠地瞪了莓鼻一眼，才跟在老师身后走了。他仍能感觉到，对石楠爪的强烈渴望正把他拖入洞穴，拖向风族。但是，他知道永远不能再去那里了，不仅仅是因为泥土已经封住了山洞。

他想成为雷族有史以来最好的武士。如果他最好的朋友是另一个族群的，他的理想就不可能实现。

"跳！越高越好——马上跳！"

狮爪向空中跳去，落下时故意一转身，以便与对手正面相对。罂粟爪还没从地上爬起来，他便已经向她腰部狠击一掌。接着，他往空地边瞥了一眼，但只看到一只虎斑猫的影子，还有那双琥珀色的眼睛。

谢谢你，虎星！

罂粟爪向他扑了过来，狮爪向前一冲，肚子贴着苔藓，从她身下滑了过去。罂粟爪的后腿刚一抬起，他便用前掌往她肚子上击去。罂粟爪立即滚到一边。

"干得漂亮，狮爪。"蜡毛赞许地点点头，但那双蓝眼睛里没有一丝热情。

我又做错什么了吗？狮爪很纳闷。他知道，当他每天晚上都和石楠爪在那些洞中度过,白天疲倦得几乎连脚掌都挪不动时,蜡毛极为不爽。但我现在已经好好训练了。我真的很努力!

"我从未见过最后那个动作。"罂粟爪的老师刺掌一边说,一边向两名学徒走来,"你是从哪里学来的?"

"呃……应该是我自创的。"狮爪嘟哝道。

实际上,那个动作是他在与鹰霜的一个训练回合中,从虎星那儿学来的。那两只幽灵猫经常来看他,他总是感觉到耳朵里好像有声音,让他跳高点,打狠点,闪到一边。这种持续的训练已经让他的肌肉变得更结实更强健。尽管没有任何猫告诉过他这一点,但他知道,他的战斗技能比其他任何学徒都提高得快。只是,他有时很难解释,他的技能是从哪里来的。

"可以让我休息一下吗?"罂粟爪问。

"好的。对不起。"

狮爪从她身边走开。她跳起来,抖落身上的苔藓碎屑。"你能教我那个动作吗?"

"当然。如果有猫向你扑来,你必须伸直身体,但要保持向前的冲力。"

"像这样?"罂粟爪开始模仿那个动作。

"是的,但还要快一点儿。"

那只小花斑母猫练习的时候,狮爪又向空地边看去,但虎星鬼魅的身影已经不见了。

狮爪吃力地把一根长长的黑莓藤从荆棘围篱里拖入石头山

谷。他拖得很吃力，因为那些刺老是被钩住。他的脚掌已经累得发疼。先是黎明巡逻，然后是训练课。短暂休息之后，他吃了几口新鲜猎物，接着，蜡毛又让他修补长老巢穴。现在正午刚过！

狮爪正把那根黑莓藤拖过石头山谷时，一个很重的东西突然落在黑莓藤的另一端，让他突然往上一弹，险些摔倒。他松开长藤，回头看去，原来是小狐。这只浅红色虎斑公猫正用牙齿咬着长藤的另一端，脚掌在藤上用力拍打着。狮爪喉咙里发出一声低吼。

"影族来了！"小冰尖叫着冲到哥哥身边，跳到黑莓藤上，"滚出我们的营地！"

白翅本来正向空地上的新鲜猎物堆走去，听到小冰的声音，她停下脚步，颈毛开始直立，然后又摆了一下尾巴。云尾把头从武士巢穴里伸了出来，蓝眼睛里满是惊恐。当他看到是两只小猫在胡闹时，便厌恶地抽了抽耳朵，又缩了回去。

"嘿，你们惹恼大家了。"狮爪说道，"我要用这个去修补长老巢穴。"

"我们能帮你吗？"小冰热切地问。

"对啊，我们很快就是学徒了。"小狐快速补充道，同时松开了黑莓藤。

"好吧，但注意别扎到脚。"

狮爪继续将长藤拖过空地。两只小猫想帮他，却总是不小心把长藤踩在脚下，让他拖起来更吃力。

他们把黑莓藤拖到离长老巢穴更近的地方时，小狐和小冰好像忘记是来帮忙的了。相反,他们撇下狮爪,向鼠毛和长尾冲去。此时,两位长老正在洞口晒太阳。

"给我们讲个故事吧!"小狐请求道,"给我们讲讲大迁徙吧,讲讲那些两脚兽——"

"不,我想听旧森林里的故事。"小冰插嘴说道。

鼠毛打了个呵欠。"你给他们讲点什么吧。"她对长尾说,"也许只有这样他们才会安静下来,其他猫也才能睡会儿觉。"说完,她闭上眼睛,把尾巴卷到鼻子上。

长尾叹了口气,然后舒舒服服地蜷缩在地上,脚掌缩在胸前。尽管看不见小猫,但他还是侧脸面向他们:"好吧,你们想听什么呀?"

"虎星!"小狐兴奋地竖起毛发。

"对,虎星!"小冰补充道,"讲讲他是怎样接管森林的。"

狮爪看到长尾的尾巴尖动了一下。这只瞎猫似乎在犹豫。他的好奇心顿时涌动起来。他和小猫们一样想听虎星的故事。不过,他还是将长长的黑莓藤编结起来,以便封住洞口忍冬藤上的一个缺口。

"虎星是一名伟大的武士。"长尾开始娓娓道来,"他是森林中最强壮的猫,也是最优秀的斗士。我还是小猫的时候,以为他将是雷族的下一任族长。"这只苍白的虎斑猫又不好意思地补充道,"我那时就想和他一样。"

"但他是坏猫呀!"小狐睁大眼睛,脱口而出。

"我们当时并不知道。"长尾解释说,"他杀了雷族副族长红

尾，但每只猫都相信，红尾是死在战场上……"

听到这个血腥的阴谋，狮爪心里翻腾起来，几乎忘记保持脚掌上的动作，以至于没能将黑莓藤挂到合适的位置上，他也无法假装这只是一个故事，就像那些小猫一样。这可是那只在森林里走到他身边，教他如何成为武士的猫的故事！

很快，狮爪又放松下来。他没必要回避虎星。那只深色虎斑猫现在不可能有什么野心了。他已经死了，已经没办法再谋划什么了。

而且，他也从未暗示过，狮爪应该打破武士守则。当他发现狮爪在洞中约会石楠爪时，也很生气。他的全部目标就是让狮爪成为真正的优秀的武士。也许虎星为自己做过的事情感到后悔，想通过帮助雷族来进行一些补偿。

小猫们还在用各种问题纠缠长尾。狮爪则若有所思地走开，到营地外面去拿更多的黑莓藤回来。

第 三 章

　　冬青爪推开黑莓帘,走进育婴室,把一只黑鹂鸟放在黛西面前。小玫瑰和小蟾蜍正趴在母亲肚子上吮吸奶水,短小的尾巴拖在身后。

　　"谢谢你。"黛西说着,伸出一只脚掌把黑鹂鸟拉近一点儿,"看起来很肥大哦。"

　　小狐本来正和妹妹一起玩摔跤,这时坐起来问道:"我们能吃吗? 我都要饿死啦! "

　　"当然不能。"他们的母亲香薇云回答道,"你们已经够大了,可以自己去取新鲜猎物了。"

　　"真的吗? "小冰的头从凤尾蕨中伸出来,"我能吃下一整只兔子呢。"

　　"好吧。"香薇云说,"给米莉也取一些来!"她的话还没说完,两只小猫已经穿过黑莓帘冲了出去。

　　米莉正躺在苔藓窝里,睡意蒙眬地眨着眼睛。她的肚子看上去巨大无比,冬青爪猜测,幼崽不久就要出生了。

　　"谢谢你。"她对香薇云说。

香薇云叹了口气,说道:"这两个孩子早该做学徒了。他们需要老师好好管教。"

冬青爪心里默默表示赞同。然后,她离开育婴室,向新鲜猎物堆走去,准备取一些猎物给长老们送去。小狐和小冰已经走到那里了,正在抢一只花鸡。

"你们给米莉拿的猎物呢?"冬青爪提醒他们。

"啊,对不起哦。"小狐急忙爬到猎物堆上,咬住两只老鼠的尾巴,叼起猎物,一溜烟跑过空地。

小冰发出胜利的欢呼,坐下来撕扯花鸡。

冬青爪开始用鼻子在猎物堆里翻找,想给长老们找到合适的猎物。她皮毛上还残留着育婴室里的气味,感觉整个营地里都是小猫和待产母猫的气息。

雷族会期待我也产崽吗?她不知道。她只知道幼崽是雷族的未来,但一想到自己会成为母亲,她便觉得仿佛整个森林的重量都压在了她的肩上。

她刚把一只兔子从猎物堆里拖出来,蜜爪就蹦蹦跳跳地过来了。"给谁拿的啊?"她问。

"长老。"

"我刚给他们拿了一只松鼠过去。"蜜爪告诉她,"如果育婴室里没有什么活儿,我们就没事了。"

冬青爪把兔子放回猎物堆。"剩下的新鲜猎物已经不多了。"她说,"我去问问蕨毛,看我们是否可以出去捕猎。"

黎明时下了一场大暴雨,但现在乌云已经散去了,外面阳光

灿烂。每一片树叶和草叶上都闪着光。一阵狂风刮来,夹带着森林里猎物的气味。冬青爪的脚掌痒痒的,渴望到营地外面去。

蜜爪将尾巴向营地入口处一摆,提醒道:"有支捕猎队很快就要回来啦。"

突然,灰条出现了,嘴里叼着一只松鼠和两只老鼠。亮心和莓鼻紧随其后,前者叼着两只田鼠,后者叼着一只兔子。

"啊,快看!"蜜爪的眼睛顿时睁大了,"莓鼻抓到了好大一只兔子,简直棒极了!"

"莓鼻?"冬青爪无法抑制声音里的惊讶。自从五天前成为武士之后,这只乳白色公猫已然成了族里最盛气凌人的猫。

蜜爪尴尬地眨眨眼,用前掌刨着沙土地面。"我真的很喜欢他。"她坦白道,"但我估计,他看都不会看我一眼,现在他成为武士,就更不会了。"

冬青爪暗想,莓鼻的鼻子翘得比天还高,他根本看不到任何一只猫。如果他知道蜜爪喜欢他,会变得更加让人难以忍受的。

"你很不错哦——"她刚开口,却又把下面的话咽了回去,因为蜜爪已经跑到空地中央,迎接莓鼻去了。

冬青爪叹息一声。她们都还是学徒,现在就考虑找伴侣是不是为时过早?她想先证明自己是一名武士,展示自己保护族群的勇气,以及为族猫捕食的狩猎技能。她想为族群的发展担当责任,让雷族一季更比一季强……

冬青爪一动不动地站在那里,脚掌扣紧地面。对了!她心想,我更想成为一名族长,而不是养育后代的猫后。

她被自己的野心吓了一跳。然后，她很快又冷静下来。如果当族长意味着她能用身体的每一块肌肉，身上的每一根毛发为族群服务，那么，想当族长就没什么错。她转身从猎物堆边走开，不想再看蜜爪在莓鼻身边献媚的样子。然后，她看到母亲松鼠飞从武士巢穴里走了出来。

冬青爪向她走去："松鼠飞，我能问你一点儿事吗？"

母亲的耳朵抽动了一下："当然可以。"

"你生过幼崽，"冬青爪说道，"但你仍然当上了武士。你是怎么做到的？"

松鼠飞眯起眼睛。冬青爪好像看到，有什么东西在那对绿色的深潭中闪了一下，是某种她无法理解的情感。但母亲却声音平静地问："你为什么想知道这些？"

"我只是在想……"冬青爪觉得很尴尬，"我只是觉得，好像每只母猫都要生幼崽，我不确定自己是否想生。我想当武士。"

让她气恼的是，松鼠飞的尾巴好笑地卷了起来。"别想那么远啦！"母亲说道，"星族已经把你的道路铺好了。路上可能会有意想不到的曲折和坎坷。"

"可是——"

"看看周围吧，"松鼠飞继续说道，"许多母猫都生了幼崽，然后又回到了武士巢穴。"

但她们成为族长了吗？冬青爪忍不住想。

最后，松鼠飞把尾尖靠在女儿肩膀上，说道："别担心这个了，专心训练吧。"

这没用的。冬青爪沮丧地想。这根本就不算在回答我的问题。

冬青爪捕猎回来后,发现族猫们开始在空地中央聚集起来。火星站在高岩上,火红色的毛发在阳光中闪耀着。

她把捕到的猎物放到猎物堆上。"出什么事了?"她问云尾。后者正与伴侣亮心分食一只画眉。

"小冰和小狐要当学徒啦。"亮心回答道。

"早该这样了。"云尾低声说,"他们那天吼什么影族入侵,把我吓得魂飞魄散。"

亮心用前掌轻轻戳了他一下:"小猫都是这样子,云尾。你知道的,他们总有一天会成为优秀的武士。"

但云尾只是哼了一声。

冬青爪观察着周围的其他学徒。蜜爪正坐在莓鼻旁边,但莓鼻根本没理她,而是在和桦落说话。松鸦爪从巫医洞口的黑莓帘后面走了出来,叶池紧随其后。冬青爪向他们的方向走了一步,但又觉得有些不妥,万一他们在讨论巫医的什么事情呢。

此刻,罂粟爪和煤爪正坐在沙风和灰条旁边。冬青爪还在四处观望,看到狮爪从学徒巢穴走出来,在罂粟爪和煤爪旁边找了个地方坐了下来。于是,冬青爪便走了过去。

她刚说了声"嗨"!香薇云就带着小狐和小冰从育婴室出来了。尘毛跟在后面。这只棕色虎斑武士的自豪之情溢于言表。

小猫们的眼睛兴奋得放光,光滑的皮毛在阳光下闪闪发亮。两只小猫都竭力表现出严肃的样子,但刚走过半块空地,小冰便

忍不住跳起来。她父亲急忙追上她,用尾巴轻轻拍打她的耳朵。然后,她才老老实实地继续往前走,直到和哥哥一起走到前面。

火星从高岩上跳下来,召唤两只小猫站到他面前去。"松鼠飞,"他说道,"你早该收学徒了,你将担任狐爪的老师。"

松鼠飞从猫群中走出来,昂着头,尾巴翘得老高。她向火星走去的同时,狐爪也跑上去迎接她。

"松鼠飞,你的勇气和忠诚全族有目共睹,"火星继续说道,"你要竭尽全力将这些品质传授给狐爪。"

狐爪扬起头,与松鼠飞碰了碰鼻子。随后,两只猫便退到石头山谷的一边。

冬青爪心想:松鼠飞现在是老师了,她生过幼崽,看来,这两样都可以做到。

火星的目光又落在那只白色小母猫身上:"白翅,你也准备收第一名学徒吧。你将担任冰爪的老师。"

白翅眼里闪烁着喜悦的光芒,向学徒走去。师徒俩碰碰鼻子,跟在另一对新师徒后面,走到空地一边。其他猫纷纷围上来,热烈地祝贺他们,呼喊着学徒们的新名字。

冬青爪注意到,莓鼻和桦落待在原地没有动弹。

桦落大哼一声,声音大得周围的猫都能听见:"真不知道火星为什么选择白翅。我当老师也不会比她差。"

沙风正好从旁边经过,便告诉他说:"火星挑选的是最胜任这份工作的猫。白翅的年龄比你大。而且你别忘了,她本来可以更早成为武士的,但为了不让你成为唯一的学徒,她主动要求推迟了升级。"

桦落嘀咕了句什么,冬青爪没听清。

"你很快就会有学徒啦。"沙风又安慰他说,"现在族里的小猫多得很。"

桦落没敢再发牢骚,但看上去仍然很不满意。莓鼻伏在他耳边悄悄说了些什么,于是,两只年轻公猫头挨着头走开了。

冬青爪叹了口气。她不知道桦落最近是怎么回事。以前他是只很有趣的猫,最近刚升为武士,对学徒生活仍然记忆犹新。她想:现在他却变得和莓鼻一样,让别的猫想起来就尾巴疼。

等冬青爪挤到足够近的地方,准备向两个新学徒表示祝贺时,那两只猫已经散开,履行各自的职责去了。冬青爪觉得有谁碰了碰她的肩膀,于是转过身去,发现是自己的老师蕨毛。

"火星想让我们和他一起进行黄昏巡逻。"金色虎斑公猫说道,"你没问题吧?"

"当然。"

冬青爪的心开始狂跳,感觉身上的每根毛都兴奋地直立起来。学徒并不经常与族长一起巡逻。这是她向火星展示学习成果的大好时机!她扭过头,迅速舔了舔肩膀。她很想从头到尾清洁一番,可惜时间不够了。火星向她和蕨毛走过来时,她只希望自己皮毛整齐,身上没沾任何芒刺。

"走吧。"族长命令道,"我们需要更新影族边界附近的气味标记。"

冬青爪跟在两只公猫后面,穿过了荆棘围篱,步入森林。太

阳缓缓西沉,鲜红色的夕阳照射到树木上,在地面投下长长的影子。只有风吹动树枝的沙沙声,以及灌木<u>丛里</u>小猎物微弱的声响打破林中的寂静。

冬青爪没去理会那些诱人的猎物气味。现在不是捕猎的时候。她全神贯注地观察和倾听着周围的动静,细细分辨着空气中的味道,以确保没有异常,尤其是没有影族武士留下的气味。

火星突然停下脚步,大喊道:"快听!"

冬青爪浑身绷紧,耳朵支棱起来。她听到远处传来了微弱的哀号声,好像是群猫在激战,便立即颈毛倒竖。

"那边!"火星说着将尾巴一摆,指明方向,"快去看看!"

他在蕨丛中跳跃前进,蕨毛紧随其后。冬青爪疾步跟上他们。草叶从她肚皮上划过,黑莓藤钩住了她的毛发。但她一刻也没有放慢脚步。尖叫声和厮打声越来越大了。

突然,族长不见了,两只公猫已经从一丛榛树旁转了过去。她听到火星怒吼道:"停!"于是,她冲过去,在一个斜坡上停下脚步。坡下一个长满黑莓的石头山谷中,五只猫正在厮打。强烈的影族猫与雷族猫的气味扑面而来。冬青爪惊恐万分地看到了莓鼻乳白色的皮毛和桦落的虎斑毛。两名雷族武士显然敌不过那三只强壮的影族猫。

冬青爪往前一跳,急于去支援族猫,却发现火星的尾巴挡住了去路。

"不能过去。"他阻拦着说道,"那是影族的领地。"

冬青爪用爪子抓紧地面,目不转睛地看着下面的族猫。莓鼻

和桦落跑到外族领地上去干吗?她张嘴吸气的同时,分辨出了雷族和影族的气味标记,两者都很微弱,并且已经混杂在一起。她这才意识到,自己正站在边界上。

火星提高声音,再次喊道:"住手!"

冬青爪欣慰地看到,那些影族猫终于跳开了。她认出了影族副族长黄毛,还有武士橡毛和花楸掌。花楸掌在桦落耳朵上抓了最后一把之后,才转身看着火星。

"这是怎么回事啊?"火星厉声问道。

"我正要问你呢。"花楸掌反问道,"你的武士怎么私闯我们的领地?"

"我们其实知道原因。"橡毛尾巴一摆,补充道,"雷族从不在乎什么边界。"

"不是的——"冬青爪刚要反驳,蕨毛便用尾巴封住她的嘴。

火星怒视着莓鼻和桦落。"这是怎么回事?"他气鼓鼓地问道。尽管他的声音不大,但与秃叶季的湖水一样冰冷,冬青爪能感觉到他的愤怒。

莓鼻吃力地从地上爬起来,抖了抖毛发。他的一只耳朵在流血,身上的毛被抓掉了好几团。"我们不知道这是影族领地。"他为自己辩解道,"你应该让这些武士更新他们的气味标记。"

黄毛气得毛发倒竖。

火星回答说:"我从不让外族武士做任何事情。莓鼻,桦落,如果你们仔细留意过,就会发现上面这些气味标记。"

莓鼻满脸怒气,却无法找到任何反驳族长的理由。

"对不起,火星。"桦落低下头说。

"气味标记是很弱。"火星承认道,巡视着其他猫说,"我们的气味和影族的都很弱。"

橡毛说:"我们正在进行黄昏巡逻,就是来这里更新气味标记的。"

"结果却发现雷族武士越过了边界。"花楸掌补充道,"而且他们在偷猎。"

桦落点点头。冬青爪高兴地看到,他看上去满脸羞愧。

但莓鼻却好像没意识到自己惹下了多大的麻烦。"我在追老鼠,"他解释说,"结果他们跑过来把猎物吓跑了。"

"幸好吓跑了。"火星说道,"黄毛,发生这样的事,我很抱歉。他们都是新武士,缺乏经验,相信他们以后会更加小心的。"

"希望你会处罚他们。"花楸掌尖声喊道。

"我当然会。"火星回答。

"很高兴听到你这么说。"

另一个声音突然响起,把冬青爪吓了一跳。影族领地不远处,蕨丛被分开,黑星来到了空地上。这只威风凛凛的白色公猫,昂首阔步地从两个私闯领地的武士身边走过,径直来到斜坡上,直面着火星。他的毛发竖立着,一只巨大的黑色前掌撕扯着野草。

"黑星,你好。"火星点头致意,"我会让我的武士明白,永远不能再次越界。"

"这是个误会!"莓鼻还在狡辩。

黑星喉咙深处发出一声低吼。冬青爪还以为他会攻击火星，或者至少要求火星严厉处罚桦落和莓鼻。

但等他再次开口说话时，声音听上去既疲惫又沮丧，并没有敌意："火星，我们绝不应该来这里的。星族带我们来这儿是个错误。这里太难分清一个领地在哪里结束，另一个领地又从哪里开始。在旧森林里就简单多了。"

火星神色黯然。"但那样的森林已经没有了，黑星。"他柔声说道。突然间，他们成了两个回忆往事的老朋友，而不是敌对族群的首领。"我和任何猫一样怀念它，但我们现在必须在这里生活。况且，过去也是星族把族群带进旧森林的，就像把我们带到这个湖边一样。"

"不，不是这样的！"黑星的颈毛本来已经开始倒下，现在又竖了起来。冬青爪不知道是什么让他这样愤怒。好像不仅是发现外族猫私闯领地这么简单。"所有星族猫过去都生活在森林里。因此，一定有一群远古猫生活在那里，后来才分成不同的族群。"

远古猫！冬青爪突然感到脚掌刺痛起来。那些猫是从哪里来到森林定居的？在湖边生存下来的猫又是怎么回事？还有那些在月池留下脚印的猫，以及与山洞有关的猫。她知道，他们从泛滥的河水中逃出来时，松鸦爪并没有把发生的所有事情说出来。她不禁颤抖起来。她突然意识到，过去的一季又一季，仿佛顷刻间都堆积到了这一刻，像落叶季的树叶一样飘飞而下，坠入一片深不可测的黑暗之中。

"你没事吧？"蕨毛伏在她耳边悄声说道，"别担心，马上就结

束了，不会再有打斗。"

冬青爪急忙站起身："我没事啦！"

黑星木讷地向火星点点头，往后退去。"把你的武士带走吧。"他粗声粗气地说，"如果我们再次在影族领地上抓到他们，恐怕就没这么容易放他们走了。"

"相信我，我不会轻饶他们的。"火星的声音很严肃。他尾巴一摆，示意莓鼻和桦落爬上斜坡。莓鼻气冲冲地跨过边界，眼睛愤怒地眯成一条缝，但桦落却停下脚步，恭敬地向黑星点点头。

"我们很抱歉。"他说，"我保证，我们不会再这样了。"

"希望你们不会。"影族族长说道。然后，他转身看着自己的武士们，厉声说道："继续巡逻。"话音刚落，他便消失在蕨丛中。

影族猫更新气味标记的同时，火星把两名年轻武士带到离边界稍远的地方。

"回营地去吧。在高岩下等着我。"

"遵命，火星。"桦落说道。

他和莓鼻跑过榛树丛，消失了。莓鼻还回头怒视了族长一眼，但火星已经转过身，并没有看见。

"好吧，我们继续巡逻。"火星说道，"这次一定要确保气味标记都清晰可辨。"

冬青爪跟在他后面，顺着石头山谷顶上的凤尾蕨丛往前走。她回想起两名族长刚才谈起森林时那种奇怪的几乎有些怀旧的情绪。黑星觉得他们不属于这里，因为这里不是祖灵生活的地方。但有些猫很久以前的确生活在这里。那他们现在在哪儿呢？

第 四 章

冬青爪悄悄地从遮挡学徒巢穴的黑莓帘下溜了出来。灰蒙蒙的云团正在天际缓慢移动，她能嗅出微风中雨水的气味。她颤抖着坐下，先把一只脚掌舔了舔，再用那只脚掌擦了擦脸。

黎明巡逻队正要出发。尘毛领头，鼠须、沙风和蜜爪跟在后面。香薇云从育婴室探出头，嗅了嗅空气，又把头缩了回去。片刻之后，桦落和莓鼻从长老巢穴走出来，各自叼着一大团苔藓。

冬青爪的尾巴惬意地卷了起来。很好！火星让他们重新做学徒的事了。她看着他们走过营地，消失在荆棘围篱中。"一定要把新鲜苔藓中的水都挤出来哦！"她顽皮地喊道，"如果鼠毛的毛发打湿了，她不会放过你们的！"

莓鼻走进荆棘围篱时，示威地甩了甩尾巴，但他们俩都没停下来说话。

营地里的其他猫开始有动静时，天空中下起了毛毛细雨。狮爪第二个从学徒巢穴中走出来，看上去还没有完全清醒。他跌跌撞撞地走过营地，去了厕所。蕨毛和暴毛从巢穴中出来后，向新鲜猎物堆走了过去。

冬青爪跳起来，跑到老师身边问道："我们要去捕猎吗？"

蕨毛摇摇头："猎物现在都躲在洞里，也许晚些时候去。"

但冬青爪的脚掌痒痒的，很想做点儿什么。她不想一上午都在营地里闲逛。"那我能自己出去吗？"她问道。

"如果你想去，那就去吧。"蕨毛回答说，"不过，离边界远点儿。我们不想再遇到昨天那样的麻烦。"

"我会当心的。"冬青爪保证道。

"中午前一定要回来哦。"老师又补充说，"我们有训练课。"

"没问题。"冬青爪一溜烟地跑开了。

出了石头山谷之后，冬青爪四处寻觅起来，觉察到猎物的迹象时，立即绷紧了神经。雨越下越大，雨点急速拍打着树叶，很快便灌满了地上的每一个小坑。每根树枝，每丛野草都沾满了雨滴，冬青爪穿行其间，很快湿透了皮毛。她忽然想到蕨毛说过的话。老师说得没错，她什么也抓不到，但她却第一次对此不怎么在意。她只是想到营地外面来，静静地思考一些问题。

一切好像都变得更加复杂了。她本应该全神贯注于训练，但思绪却老是飘忽不定，一会儿想到未来，不知道自己能否当上族长；一会儿又想到过去，想到那些远古猫。她仿佛看到自己站在高岩上，召集族猫……

她意识到，此刻，自己的注意力并没集中在猎物上。她就那样站在森林里，被雨水浇透。她轻轻抖掉耳朵上的雨滴，钻进沙堤中的一个洞穴，蹲伏在洞口，凝视着洞外沙沙作响的雨帘，又用舌头舔舐皮毛，想把自己舔干，让身体暖和起来。突然，她听到一阵脚步声从洞那头传来。她一下子僵住了。有个大家伙——至少和她一样高——正从山洞那头向她走来。真是个蠢毛球!她责骂自己。刚才她身上淋得太湿,竟然没想到要先检查一下这个避雨的地方。

她绷紧肌肉,深吸了一口气,准备迎接狐狸,或者更糟——獾的到来。但是,飘进她鼻子里的却是猫的气味,而且是熟悉的气味。冬青爪松弛下来,从洞口转过身。

"松鸦爪! 你在这里干什么啊? "

弟弟挤到她旁边。他身上有股泥土味儿和狐狸的臭味。"没干什么,"他嘀咕道,"我在避雨。"

"不,你不是在避雨!"冬青爪很生气,因为弟弟显然在撒谎,"你的毛是干的。你一定是在下雨之前就已经进来了。"松鸦爪没有回答。她又说道:"你是不是又想去山洞了? "

松鸦爪用脚掌刨着沙地:"是又怎样? "

"这很危险啊!"冬青爪没好气地说,"想想獾穴塌陷时,狮爪的遭遇吧。想想洞中的那些情景。我们差点儿淹死。而且——"

"这些我都知道啦。"松鸦爪打断了她的话。

"可你表现得好像不知道。现在正下大雨。山洞会再次涨水。你居然还跑到这里来溜达,好像进入营地一样!松鸦爪,说实话,我真不知道你怎么会这么鼠脑袋。"

"别再说啦!"弟弟嘟囔道,"反正我也没进去成。这只是个旧狐狸洞,是个死胡同。"

"但你想去。"为什么松鸦爪看不到,自己正在陷入什么样的

麻烦呢？"我不觉得那些洞有什么特别，下面什么都没有。"

"不，有！"他在冬青爪面前蹲伏下来，异常专注地仰望着她。冬青爪一时很难相信他是个瞎子。他犹豫了一下，抽了抽耳朵，然后继续说道："远古猫和我说过话。我去月池的时候，脚掌踩进过那些脚印。我以前经常听到他们的声音从风中传来，但自从我们救了那些小猫之后，就再也没听到过他们说话。所以，我必须回到山洞里去。"

冬青爪伸过脖子，同情地舔了舔松鸦爪的耳朵。她不忍听到弟弟声音里的难过。他听上去好像失去了什么宝贵的东西。

松鸦爪把头转开，说道："你不明白。"

"那就解释给我听啊。"

松鸦爪犹豫了，用前掌在地上画着圈。最后，他终于开口说道："那些洞里有别的猫。"

冬青爪不解地问道："什么意思啊？"

"那是很久以前，生活在这里的远古猫的幽灵。其中一只猫叫落叶。他为了完成自己的武士命名仪式，便去了洞里，可他再也没有出来。当初就是他告诉我，去哪里找那些失踪小猫的。"

冬青爪身上的每根毛都竖立起来。他们在洞中受够了折磨，可她从来没想过，还会有隐形猫在看着他们。

"另一只猫叫岩石。"松鸦爪继续说道，"他是只老猫。我的意思是说，真正很老。他就在洞里。但他可以逃出来，他证明给我看过。是他帮我想出了逃生的办法。"

冬青爪深吸一口气。这也许没什么好怕的。如果松鸦爪说的

是真的，那么，没有远古猫的帮助，他们和那些小猫都不可能活着出来。

"那你现在为什么想回去呢？"她对此疑惑不解。

"我想知道，他们为什么不再和我说话了。"松鸦爪难过地说，"还有，他们也曾住在这里，也许能告诉我们，哪里最适合藏身，哪里最容易捕猎。"

"我们可以自己去找啊。"冬青爪看向洞外。雨已经停了。最后几片云彩正从天空飞过，树梢上方已经出现片片蓝天。阳光照在雨滴上，森林里微光闪动。"我们应该回营地了。"她补充说道。

"你还不明白吗？"松鸦爪的声音提高了一点儿，"这很重要。我知道这很重要。"

冬青爪一时很想附和他，甚至想主动提出帮他弄清楚这一切。黑星提到远古猫时，她同样能感觉到那些陌生猫的魅力。她也想知道更多关于那些猫的事情，但她不能拿自己或松鸦爪的生命去冒险。

"你也很重要。"她说，"你的族群需要你，松鸦爪。你不应该去冒不必要的风险。"

"好吧。"松鸦爪嘀咕道，满脸反叛的神色。冬青爪强忍着叹息。她太熟悉弟弟脸上的表情了。松鸦爪表面上同意她的意见，但依旧会我行我素。她轻轻推了他一掌："我们走吧。"

松鸦爪站起来，抖掉身上的泥土。冬青爪率先走到洞外。她小心翼翼地移动着脚掌，避开最湿的草丛。

"冬青爪？"

她停下脚步，回过头来："怎么啦？"

"你不会把我刚才给你说的事告诉其他猫吧？"

冬青爪不知该怎样回答才好。她想径直去找火星或叶池，告诉他们，松鸦爪疯狂迷上了那些早已死去的远古猫。如果说有谁可以阻止松鸦爪去冒险，就只能是他的族长或老师了。但松鸦爪是她的弟弟，她永远都会先对他忠诚。

"不，我不会啦。"她叹了口气，"我保证。"

"哦，该死！"冬青爪沮丧地哀号一声。她向那只老鼠扑去，却眼睁睁地看着它从爪下飞快跑掉，钻进一个安全的洞中。这是从她爪下逃走的第二只猎物了。她已经开始感觉到，脚掌好像不是自己的了。

"冬青爪，你走路时脚步要轻一点。"蕨毛从不对她发脾气，但现在，他的声音也有些不耐烦，"记住，老鼠还没听到或闻到你之前，就能够感觉到你的脚步。"

"好的，知道了。"冬青爪不好意思地回答道。这是捕猎的常识。"对不起。"

蕨毛、溪儿和暴毛把全部学徒带到森林里上捕猎课。冬青爪不知道是谁建议要比赛。狮爪胜券在握，抓到了冬青爪见过的最大的一只松鼠，其他学徒也抓到了好多猎物，她却好不容易才抓到一只小得可怜的田鼠。

"有什么事让你不开心吗？"蕨毛轻轻地摇了摇尾巴，"你今天一直心不在焉呢。"

"没有啊。"冬青爪假装一副轻松的样子,"我没事啦。"

她心想:如果我不去想当族长的事,那我就没事了。但总不至于因为虎星想当族长,就证明这种想法是错误的吧?我知道我和他是亲人,但我绝不会像他那样夺取权力。松鸦爪呢?如果他去找那些远古猫时遇到意外,那就是我的错!

溪儿同情地用鼻子摩挲着冬青爪的耳朵。"我刚来这里时,也遇到过很多麻烦。"她承认道,"我已经习惯了在光秃秃的山坡上捕猎,根本不懂怎样在森林里猎食。暴毛教会我的一件事是:有时围捕猎物时,向前滑动脚掌会有所帮助,这样,老鼠就感觉不到你在靠拢。像我这样。"说着,她在苔藓上轻轻地滑动脚掌。

"我从来没这么想过。"冬青爪惊奇地说,"让我试试看。"

"还有,重要的是避开深草和香薇丛。"溪儿继续说道,"如果你从深草丛中走过去,你移动时的动静会把猎物吓跑的。"

冬青爪若有所思地点点头。她其实知道这一点,但她脑子里挤满了别的事情,就把这茬给忘了。

"你很快就能再次掌握要领的。"虎斑母猫安慰她,"如果在山地,你会是一位伟大的猎手,因为你的后腿很强壮,适合跳跃。"

"你们捕猎的时候需要跳跃吗?"煤爪一边问,一边走过来听她们说话。

"是的。在雷族,你们大多是捕捉地上的鸟。但在急水部落,我们都是在猎物跳起或落下时跳过去抓它们。"溪儿的声音中有种自豪感,"我们就是那样抓到隼的,有时甚至能抓住鹰。"

"鹰有多大啊？"狮爪这时也过来了，"它们真的可以把猫抓走吗？"

"大多数鹰都非常强壮，足以把成年猫抓走。"溪儿坐了下来，将尾巴放在脚掌上，其他学徒都围过来听她讲，"鹰也许能将幼崽或半大猫抓走，但小猫都和母亲待在巢穴里，那里更安全。每支捕猎队里至少都有一只护穴猫。"

"什么是半大猫啊？"罂粟爪好奇地抽动着耳朵。

"什么是护穴猫啊？"蜜爪眨着眼睛问道。

"你们就是半大猫。"溪儿解释说，并用尾巴指了指所有学徒，"就是正在学习武士本领的年轻猫啦。嗯，护穴猫就是守护洞穴的猫。他们身强体壮，接受过驱赶隼和鹰的专门训练。暴毛在部落时就是护穴猫。我是狩猎猫。"

冬青爪不解地问："你的意思是说，部落猫各司其职？你们不用既捕猎又打仗，不像雷族猫？"

"对。"溪儿若有所思地说道，"幼崽出生后，族长会决定他们成为什么猫。最大最强壮的成为护穴猫；跑得快，动作敏捷的成为狩猎猫。"

"也就是说，你们不能自行选择？我可不喜欢这样。"狮爪显得有些不高兴了。

"如果你从小就受到那种教育，想法就会改变的。"溪儿语重心长地说道。

狮爪看上去并不相信，但他还没来得及再说什么，罂粟爪就插话了："讲讲你们的族长吧，还有巫医。是星族挑选他们的吗？"

溪儿摇了摇头。"急水部落不认识星族。"她解释说。等到学徒们惊讶的喘息声平静之后，她才继续说道："杀无尽部落在天上看顾我们。我们没有族长或巫医。在急水部落，有一只猫身兼二职。他被称为医治者，他的名字叫尖石巫师。"

"或者石巫师。"暴毛说着，走过来坐在伴侣身边。

"好奇怪的名字啊！"罂粟爪跳了起来。

她的姐姐蜜爪轻轻推了她一掌，指责道："真没礼貌！部落猫的名字和我们不同。就这么简单。"

"尖石巫师有单独的洞穴，离瀑布后面的洞穴不远。"暴毛解释道，"里面全是尖尖的石头，有从洞底凸出来的，也有从洞顶悬吊下来的。洞顶有一个小口子，下雨的时候，洞底会集起一个个小水池。巫师会看水中的倒影，解读里面的信息。"

"他也是巫医？"冬青爪睁大了眼睛，这只猫的权力真够大的！"他有副族长吗？"

"没有。但最后，他会有一只半大猫——相当于你们的学徒。"溪儿告诉她说，"杀无尽部落会向他传递信息，他会据此选择一只幼崽，成为下一任尖石巫师。"

冬青爪突然强烈嫉妒起部落猫来。让其他猫规划自己的生活简单多了！若是如此，她早期就不会错误地选择去当什么巫医，因为她其实最适合当一名武士。有时，一想到要吃力地去记各种不同药草的用途，她就头疼。武士训练同样艰苦，但她感觉还不是那种不可能完成的任务——要学习打斗技巧和捕猎动作，还必须牢记每条武士守则。如果她想成为族长，还必须学会

处理族群间的复杂关系,包括怎样与自己的武士、其他族群的猫沟通,怎样应对危机。

她想起昨天在边界上火星处理冲突时的情景。雷族族长的镇定自若让她大开眼界,即使自己的武士有错在先,他仍能保持冷静。冬青爪就想成为这样的族长:依靠武士守则维护和平,不让族群陷入不必要的战斗;不自私,不贪婪,把族群利益放在首位;尊重森林中其他族群的权利。

"我想,那边的树根下有只老鼠。"暴毛的话打断了她的思绪,他正用耳朵指着旁边一棵山毛榉的根部,"去试试,看你能不能捉到它?"

"好的。"

其他学徒散开了,走到远离山毛榉的地方,让冬青爪有最好的环境发挥能力。她抖动胡须,分辨着空气中的味道。是田鼠,不是老鼠!片刻之后,她看到它了,圆滚滚的,正在树下的乱石中游弋。她开始向前爬,像刚才溪儿教的那样——在苔藓上滑动脚掌。那只田鼠开始好像没注意到她,但等她半蹲起来,准备突袭时,却惊动了田鼠,它马上夺路而逃。

冬青爪号叫一声,一跃跳到了刚才田鼠所在的位置,立即又纵身而起,抢在田鼠躲进两块岩石之间的缝隙之前,将其堵在两只前掌之间,然后一掌打死。

"棒极了!"蕨毛大声说道。

一股胜利的暖流传遍过冬青爪全身。她叼起猎物,转身向老师走去。

"瞧瞧，我就说你后腿强壮，没错吧？"溪儿说着，用尾巴尖碰了碰冬青爪的肩膀，"你那一跳真是个大飞跃啊！"

"今天就到此为止吧。"蕨毛最后说道，"我们把猎物搬回营地去，族猫今晚可以饱餐一顿啦。"

冬青爪叼着自己捕到的田鼠和尖鼠，跟在老师后面走回空地。一路上，她不停地侧眼看溪儿。她一定非常爱暴毛，才会放弃熟悉的一切，和他一起到一个陌生的地方，过一种陌生的生活。

好奇心像尖利的狐狸牙齿一样啃噬着她。她想参观急水部落，想去看看那些猫是怎样生活的。因为他们和她如此不同，从小就知道自己会过什么样的生活，履行什么职责。

但他们离得太远了！冬青爪长叹一声。恐怕我永远也翻不过那一座座山。

第 五 章

凉爽的晚风吹拂着松鸦爪。他知道,半空中,一弯弦月正在晴朗的天空中慢慢移动。叶池走在他旁边的溪水中。他们此刻正顺着风族和雷族领地之间的那条小溪往前走。

松鸦爪的心里充满期待。岩石会在月池和他说话吗?一想到也许只能见到星族猫,他的尾巴就不耐烦地抽动起来。毕竟,星族并不重要,他们只是迁移到别的地方去的族群猫。预言中说,他掌握着星族的力量。那一定意味着他会比星族更强大,那他为什么还要浪费时间在梦中与他们见面呢?

他需要回到更遥远的过去,找到那些曾经聚集在月池的远古猫。他们一定才是真正强大的猫,会帮他弄清楚他的命运。

这也是狮爪和冬青爪的命运。松鸦爪竭力不去听脑子里那些嘈杂的低语声。哥哥和姐姐将不得不找到属于他们的力量源泉。他已经被选定成为巫医,因此,这条路一定只适合他。

"叶池,等等我们!"

远处的风族领地上传来一声呼喊。叶池停下脚步,松鸦爪在她身旁等着。他分辨着空气中的气味,闻出有三只猫:青面、隼爪和柳爪。柳爪一定是在从河族过来的路上碰到风族猫的。

其他巫医赶上他们时,叶池焦急地问道:"蛾翅呢?她没生病吧?"

"没有,她没事。"柳爪回答说,"但榉毛被蜜蜂蜇伤了,所以,蛾翅觉得她最好留在营地照顾他。"

哼!松鸦爪心想。要真是那样,刺猬也会飞啦!他能猜到蛾翅为什么没和学徒一起来。武士被蜇只不过是她找的一个借口。蛾翅与星族没有任何联系。她一定是决定不再长途跋涉去月池睡觉,而是待在自己的巢穴里好好休息。

"你好啊,松鸦爪。"柳爪打着招呼,声音冷漠但有礼貌。

"你好,柳爪。"好吧,我知道你不喜欢我,但我对你也不怎么感兴趣。

"嗨,松鸦爪。"隼爪的声音听上去更加友好,"雷族的狩猎情况怎么样啊?"

"很好,谢谢。"松鸦爪作了简短的回答。

他还没想好应该再说点儿什么别的,就闻到一股浓烈的影族气味从他们身后飘过来。

"我还以为追不上你们了呢。"小云气喘吁吁地说。

"我们会等你的。"叶池向他保证道。

群猫向月池前进。松鸦爪感到隼爪正走在他旁边。"嘿,松鸦爪,"他好奇地问道,"眼睛看不见是什么感觉啊?"

哼,你当然不明白,鼠脑袋!听到这个愚蠢的问题,松鸦爪觉得脖子上的毛都直立起来。"四周一片黑暗。但我的听觉和嗅觉

都很好，所以能自己四处走动。"

"真不容易啊。"

其他学徒的同情总是让松鸦爪想把爪子伸出来。从隼爪说话的声音，以及脚掌踩在沼泽地上的声响，松鸦爪能非常准确地判断出，他的耳朵在什么位置。哼，难道你想让我把它撕掉吗？

"我能应付的。"他没好气地说。

松鸦爪加快步伐，追上小云。他很想跑到前面去，但那会引起过多的注意，并暴露出他梦游过这里，而且在梦中能看见的秘密。他迫不及待地想快点儿到达月池，以便弄清楚更多与他命运有关的事情。

当他沿着那条螺旋小路走下来时，体会到脚掌滑进那些远古猫掌印的感觉，但当他用鼻子碰碰池水，舒舒服服地躺下之后，却发现自己很难入睡。他能够听到其他猫已经在月池周围发出了均匀的鼾声，而他却睡意全无。

"快点儿睡啊。"他轻声对自己说，"你是怎么啦？"他第一次不想进入其他猫的梦里，而想自己做个梦：梦中，他在小山下醒来，在他遇到岩石和落叶的山洞中醒来。如果他现在不能做这样的梦，就要等整整半个月才能再来月池。

他闭上眼睛，希望睡意袭来，但他仍能感觉到脚掌下潮湿的岩石，听到瀑布的流水声以及周围那些猫的呼吸声。他伸伸腿，打了个哈欠，重新睁开眼睛。当他意识到，他能看见眼前的一切时，顿时兴奋得浑身刺痛。

但他的耳朵旋即沮丧地抽动起来。他不在山洞中。相反，他

根本没有离开月池。他能看见水中反射出来的微光，还有同伴们蜷缩的身体。

"现在怎么办呢？"他轻声问自己。

突然，一个低沉的声音在他身后响起："你想和我说话吗？"

松鸦爪猛地转过身去，差点儿被自己的脚掌绊倒。岩石就站在面前，长而弯曲的爪子刮擦着光秃秃的地面。这个空旷的山谷没有山洞中的暗影，他光秃秃的皮肤看上去冰冷而疼痛。那双凸出的蓝眼睛在丑陋的脸上闪着银光。松鸦爪没想到自己会吓得一抖。他不知道岩石是能看见他，还是只能感觉到他的存在。

"你为什么不再和我说话了？"松鸦爪好奇地问道，"我试了一次又一次，但你就是不回答。"

岩石甩了甩他那像鼠尾一样的尾巴，没理会这个问题。"我现在来这里了。"他粗声粗气地说，"你要说些什么？"

"你是星族猫吗？"

岩石眨了眨眼睛："不是，我是和那些远古猫一起来的。"

"你是说落叶那样的猫？那些到山洞里去证明自己的猫？"

"不是。"岩石的声音听上去像石头刮擦地面一样刺耳，"比那些猫更古老。"

"那他们是从哪里来的？"松鸦爪急切地问道，"是不是有一群猫比其他所有猫都要古老？我们都是他们的后代吗——落叶的族猫、部落猫和族群猫？"

岩石用银色的目光凝视着松鸦爪。"总有比任何猫都还要古老的猫。"他嘟哝道。

喵——呜!

你为什么不
和我说话了?

!

我现在来这儿了,
你要说些什么?

你是星族猫吗

不是，我是和那些远古猫一起来的。

比那些猫更古老，你会在山地找到答案的。

你是说像落叶那样的猫吗？

你什么意思？现在就告诉我！

快回来！

这不是我要的回答！"那你是从哪里来的？"

老猫默默地站了几个心跳的时间，凝望着月池，仿佛目光能越过那条将松鸦爪和远古猫分隔开来的时间深渊。

"你会在山地找到答案的。"最后，他低声说道，"不过，可能不是你最想得到的答案。"

"什么意思啊？现在就告诉我吧！"松鸦爪固执地说。

但岩石已经开始消失。他身上反射出的团团月光，以及凸眼中的银色微光，像薄雾般渐渐淡去，直到松鸦爪再也看不见什么，只有微弱的星光映照在岩石和水面上。一阵冷风吹来，他不由得打了个寒战。

"快回来！"他急切地大声吼道。

但没有回答。星光渐渐消失，他嘴里满是树木和凤尾蕨的气味。他正站在一个黑黢黢的森林里，周围都是蕨类植物和野草。月光从他头顶树枝间的空隙里洒落下来，在地上投下斑驳的光影。暖暖的空气中弥漫着猎物诱人的气味。

叶池就在他前面，走在蕨丛间一条蜿蜒向前的狭窄小路上。她停下脚步，回过头来。"我还以为你不会来呢。"她说。

松鸦爪刚要开口，叶池前面的灌木中就响起沙沙声，一群星族猫突然跑了出来。松鸦爪看到，猎物纷纷从他们的爪子下仓皇逃走。

一只蓝毛母猫停下来，简短地说了声："叶池，你好啊。"叶池点点头，但她还没来得及说话，母猫就向前跑了。另一只猫，一只强壮的公猫，从松鸦爪身边跑过的时候，友好地用尾巴轻轻拍了拍他的耳朵。

大多数星族武士都在专注地捕猎，眼里闪着喜悦的亮光。月光下，他们的皮毛发出微光，强健的肌肉波动起伏。松鸦爪目不转睛地看着每只猫都猛扑向猎物，然后叼起战利品转身跑开。他猜想，他们肯定是要把猎物送到某个被星光照亮的猎物堆上去。

叶池走到他面前，用鼻子碰了碰他的肩膀。"看到那边那只银色虎斑猫了吗？"她用尾巴指着一只漂亮的母猫说道。那只母猫正跳起来抓一只肥大的田鼠。"那是羽尾。她是暴毛的妹妹，死在山地里了。"

松鸦爪好奇地看着那只猫，想知道她是否了解山地猫祖灵的事情。

"我们能和她说话吗？"

"她可能不会等我们。"叶池回答道，"她急于把猎物带回星族营地。"

"我想问她——"松鸦爪还没说完，羽尾已经跑了。但她没去追其他星族猫，而是向另一个方向跑去，那里的树木更多，灌木更密。"她要去哪里啊？"

"不知道。"叶池看上去有些不安，"羽尾，等一等！"

她向那只银色虎斑猫追去。松鸦爪跟在她旁边往前跑。他们穿过浓密的灌木，来到一片空地上。有条小溪从空地中间流过，小溪那边没有树，而是一个石坡，坡上长满了矮小的灌木。

"羽尾！"叶池又喊了一声。

母猫在小溪边停下脚步，回头望着他们。

"你到哪里去？"叶池气喘吁吁地跑过去。

羽尾放下田鼠。"这只猎物不是给星族的。"她解释说，"尽管已经过去这么久了，我还是要对其他猫负责，对那些仍然需要帮助的猫负责。"

其他猫？

叶池用鼻子碰了碰羽尾的耳朵。"你说的是急水部落吗？你为他们做得还不够多吗？为了把他们从尖牙那里救出来，你连命都丢了！"

"共同的过去值得珍惜。"羽尾轻声回答道，蓝眼睛里闪着柔光，"尽管短暂，但我永远都不会忘记。"

她和叶池碰了碰鼻子，然后叼起猎物，轻轻一跃，跳过小溪，消失在灌木的阴影中。

真该死！松鸦爪心想。我什么也没问到。

叶池轻叹一声，转身走进森林。松鸦爪跟上去时，眼角瞥见一道银光。他环顾四周，看到岩石正蹲伏在一丛灌木下。远古猫那双瞎眼正直视着他。然后，他站起来，向羽尾消失的方向走去。

松鸦爪颤抖起来。不知这是怎么回事，星族、远古猫和急水部落好像正融合在一起，预示出这些族群猫的命运。松鸦爪觉得这对他来说意义重大。为了掌握星族的力量，他首先必须具有超越过去和现在所有祖灵的能力。他重新钻进灌木丛，暗影从四周包围过来。浓郁的森林气味开始消失，他感觉到了脚掌下的岩石，听到了瀑布轻快的流水声，知道自己已经重新蜷缩在月池边。他睁开眼睛，眼前一片漆黑。

他听到其他的猫正从梦中醒来。他们都没怎么说话,叶池根本没理他。他们爬上螺旋小路,走过沼泽地,朝湖边走去。松鸦爪能感到她的焦虑,仿佛有一群带刺的昆虫正在蜇她。

他不耐烦地等着其他猫,和他们一一道别,向各自的领地走去。最后,终于只剩下他和叶池了,他急忙问道:"你梦到了什么?你会告诉火星吗?"

叶池犹豫了一会儿。但她开口说话时,声音显得很不安。"听上去好像是急水部落遇到了什么麻烦。"她低头说道,"我不确定是否该告诉火星。不过,不管发生了什么事,好像雷族都不会受到影响。"

松鸦爪沮丧地抽动着尾巴。如果老师假装没做过那个梦,他怎样才能弄清楚自己的命运呢?"暴毛和溪儿呢?如果山地出事了,应该告诉他们的。"

"我也不知道。"老师的语气温柔但不肯定,"你可能是对的。嗯,也许该告诉火星。但雷族与这件事无关,所以我认为他不会采取什么行动。"

松鸦爪跟在老师后面,顺着边界小溪向营地走去。他心想:雷族与此事的关系可能比叶池想象的更大。

至少,这与我有关!

他龇出牙齿,仿佛马上要去抢一只鲜美多汁的猎物似的。只有一种办法可以弄清楚,他的力量究竟是什么。无论如何,他必须找到办法去山地。

第 六 章

　　罂粟爪向前俯冲过去。狮爪可以看出,她想利用他在之前的训练课中教她的这个动作,也就是虎星教他的动作。但罂粟爪试图从蜜爪身下去抓她的后腿时,后者的动作太快,她向后一跳,一头撞向了她,在她鼻子上猛抓两把之后,飞快地跑开了。

　　"你的动作要更快些才行。"莓鼻指挥道。

　　狮爪毛发倒竖。火星已经没再让这两名年轻武士履行学徒职责了。但莓鼻难道就没有更好的事情去做,非要跑来这里干扰训练课吗?他此刻正趴在空地边的一块岩石上,大声评论学徒们的表现。

　　"棒极了!"他故作屈尊地对蜜爪说,"你的动作越来越漂亮啦。"

　　"谢谢你哦,莓鼻!"蜜爪无比崇拜地对这名乳白色武士眨了眨眼。

　　狮爪强忍心中升起的一丝妒忌。不久之前,蜜爪好像还是最喜欢他的。在刚刚被迫放弃了与石楠爪的友谊之后,这么快又失去蜜爪的倾慕,让他感到很难过。

"该你了,狮爪!"莓鼻打断了他的思绪,"让我们看看你的能耐啊。"

谁让你给我当老师了?狮爪恨恨地想。他环顾空地,寻找蜡毛的身影。本来应该由他负责这次训练的,但老师正在不远处向冬青爪示范一个动作。

"快点儿啊,懒猫。"莓鼻催促道,"整天坐在尾巴上,你一辈子都升不了武士啦。"

我升不了武士?狮爪咬牙切齿地想。如果我相信你的话,我会认为武士都是你那样的蠢毛球!

"煤爪,过来。"他一边说一边摆摆尾巴,招呼那只坐在空地边上的灰毛学徒,"我们来练习吧。"

煤爪向他跑过来,身上的毛急切地直立起来,尾巴松弛着。狮爪心想,她的动作显得很自信,好像伤腿已经好了。她走到狮爪面前,缩回爪子,伸出脚掌,照着他的耳朵就是一击。他闪到一边,用头撞她的肩膀,试图让她失去平衡。但煤爪的后腿稳稳地立在地上,两只前爪掐住他的脖子,把他按倒在地。狮爪用后爪去打她的肚皮。片刻之后,煤爪松开前爪,从他身边跳开,等他重新爬起来。

"好极了!"他气喘吁吁地说。但他知道,最后获胜的将是他自己。

煤爪眼里闪着自豪的光。她的打斗技能正在恢复。"再来一次!"

"狮爪,你那个动作根本不对。"莓鼻又插话了,"你根本不应

该让她把你按倒。如果真的打起来,她可能咬破你的喉咙。"

狮爪转身看着他,强烈的愤怒涌上全身。"我猜,你是在和影族猫厮打时悟出这点的吧。"他讥讽道。

莓鼻从岩石上跳下来,耳朵紧贴在头上,脖子上的毛直立起来。"不准这样和武士说话!"他大声呵斥道。

"那就别在这里装什么万事通!"狮爪反唇相讥,"你又不是我的老师,少管闲事!"

如果不是他们之间还隔着一点儿距离,他会向莓鼻扑过去,把这名乳白色武士的鼻子撕烂。但他知道,如果真的进攻族猫,而不是训练,那他会惹下大麻烦的。于是,他转身背对莓鼻,怒气冲冲地跑到空地边上,站在那里,胸部急促地起伏着,竭力抑制心中的一波波怒潮。

"你给我等着,等我成为武士的那一天!"他咬牙切齿地说,"我会让你看看,到底谁最善战!"

"狮爪,放松点儿。"那个沉静的声音像凉水一般让他顿感清爽。刚开始时,狮爪以为是虎星的声音。他急忙向四周看去,寻找那只幽灵虎斑猫。可是,他只看到暴毛在一棵橡树下的小块空地上晒太阳。

狮爪不好意思地向他点点头。"对不起哦。"他低下了头,"但莓鼻表现得好像他是族长一样,我的确无法忍受。"

暴毛发出一声同情的呼噜声。

"我知道,我不应该让他影响我的情绪,但我就是做不到。"狮爪承认道,"有时还有其他学徒。嗯,冬青爪除外。但其他猫都

会影响我。我觉得自己必须一直是最棒的。"

他心中突然感到一阵恐惧，他怎么会将这些想法一股脑儿地告诉一名资深武士呢？暴毛没理由关心他的问题啊。

"为什么呢？"那只灰毛公猫问道。

"我不知道为什么！"狮爪犹豫了。思绪像暴风雨一般袭上心头。他又补充说："我猜，我其实知道。一定是因为我是火星的后代。从来没有过他这样的族长，每只猫都会期待我有最好的表现，因为我和他有血缘关系。"

"那虎星呢？"暴毛提示说。

狮爪用爪子刨着地面。暴毛怎么可能知道，他与虎星、鹰霜见面的事？"虎……虎星？"他吞吞吐吐地说。

暴毛冲他眨眨眼："我知道你父亲过去遇到过什么问题。黑莓掌总是担心雷族永远不会信任他，因为族猫太恨虎星了。"

狮爪以前从没想到过这一点。他很难想象父亲年轻时的状况，不知道父亲曾对自己在雷族的地位如此地忐忑不安。

"我父亲以前是什么样啊？"他走到暴毛身边，在宜人的阳光中坐了下来。他肩膀上的毛发重新平伏下来，几乎已经忘记刚才与莓鼻发生的争执了。"你们一起去探险时是什么状况？"

"太可怕了。"记忆从暴毛琥珀色的眼睛里闪现出来，恐惧、勇气、幽默和友谊同时出现在他的瞳孔中，"我不知道还有什么比那更艰难的事——在危险四伏的陌生土地上行进，竭力与别族的猫和睦相处。我们回来时都变了。"他停顿了一下，用舌头舔舔肩膀，然后接着说道，"刚开始时，我们经常争吵。但总是黑莓

掌想出最好的主意。很快，我们便意识到，他天生就是我们的首领。"

"快告诉我发生了什么。"狮爪催促道。

"四只猫，来自四个不同的族群，做了一个相同的梦，星族让他们前往太阳沉没之地。"暴毛娓娓道来，"他们都要按照午夜说的去做。我们当时都没意识到，午夜是一只獾的名字。"

狮爪点了点头。他和小伙伴们从未见过那只帮助族群找到新家的獾，但他母亲给他们讲过那只獾的故事。

"那一定很难吧？"狮爪问道。他竭力想象与外族猫相处的情景。没错，他和石楠爪一直很友好。但如果让他和风爪或者影族武士合作，会是什么状况呢？

"糟糕透了。"暴毛回答道，尾巴打趣地卷了起来，"有一次，你母亲的双腿被卡在一道栅栏上了。她狂怒地喷着唾沫，但就是动弹不了。"

狮爪轻声笑起来，想象着松鼠飞被卡住的狂怒样子。"我父亲救了她？"

暴毛摇摇头："不。黑莓掌想把固定栅栏的木桩挖起来，我却在想，可能把栅栏咬断更好。与此同时，褐皮和羽尾用一种酸模叶润滑你母亲的毛发，结果用这种方法把她弄出来了。"

"真希望我也参加了那次探险。"狮爪仿佛身临其境一般。

"我也不会放过那次机会的。尽管我们很多时候吓得要死，又累又饿，但我们都知道，自己是在尽最大努力帮助族群。"

"你和我父亲成了真正的好朋友。"

暴毛抽抽胡须:"开始时,我们之间并不是很友好。我很妒忌黑莓掌。"

"为什么啊?"狮爪惊讶地问。

"因为我非常喜欢你的母亲。但瞎猫都能看出来,黑莓掌才是松鼠飞最喜欢的猫,尽管他们经常争吵。"

"你喜欢过松鼠飞?"狮爪吃惊地眨着眼睛。假如他的父亲是暴毛而不是黑莓掌?那他将是一只与现在不同的猫……

"我从没见到过她那样的猫。"暴毛承认道,"尽管当时她还是一名学徒,但她那么聪明勇敢,意志坚定。后来,我们在山地和部落猫生活了一段时间。我在那里认识了溪儿,发现她才是我想要的伴侣。"

他琥珀色的眼睛黯淡下来,沉默不语。狮爪不明白,为什么说起溪儿时,他眼里出现了这种神色。"怎么回事啊?"

暴毛长叹一声:"我的妹妹羽尾和我们一起参加了那次大征程。"他解释说,"她长得很漂亮,是个热心肠,后来死在山地了。"

狮爪壮起胆子伸出尾巴,放在灰色武士的肩膀上:"究竟发生了什么事?"

"当时,一只美洲狮正在追杀部落猫。有预言说,一只银毛猫会来救他们。刚开始,他们以为是我,但其实是羽尾。她死在救他们的过程中。"他的声音颤抖起来,"我只好把她留在那里,埋骨山地。"

"对不起。"狮爪试图想象如果冬青爪死了,他是什么感受。

暴毛舔了几下胸脯上的毛,又摇摇头,仿佛正把一只苍蝇赶

走。"日月更替,我们必须向前走。"

"请别介意我冒失地问起这些。"

"当然不介意啦。"暴毛的声音听上去已经恢复正常,"你想问什么都可以。如果能帮上忙,我会很乐意的。"

"谢谢哦。"狮爪感到温暖惬意,像刚吃了一块肥美的新鲜猎物一样,"和你说话比和雷族猫说话容易些——哦,对不起。"他急忙闭嘴,尴尬地扭动着脚掌,"我不是说——"

"没关系啦。"暴毛打断了他的话,"我明白你的意思。的确如此,不管我对火星、黑莓掌以及其他雷族猫多么忠诚,我都是这里的过客。"

"你在哪里最有家的感觉呢?"狮爪好奇地问,"在河族、急水部落还是雷族?"

暴毛没有立即回答。他若有所思地舔了舔一只脚掌,然后又抬起那只脚掌挠了几下耳朵。最后,他终于回答说:"我从心里觉得自己是只河族猫。我是在那里长大并成为武士的。但那时我们在森林里,可惜后来猫族在森林里没有家了。现在,我觉得雷族就是我的家,因为你们欢迎我和溪儿。与灰条生活在同一个族群也是好事,可以更多地了解他。"

"你会永远留在这里吗?"

"不知道。这里不是溪儿的家。如果她不想留,我不会强迫她的。"

"那你们为什么不回山地去呢?"

暴毛眼里露出一丝阴沉的神色:"不容易啊。"

"你们可以回去看看啊。"狮爪建议道。

"不，太远了。"暴毛突然轻快地说，他站起来，抖了抖毛发，"走吧，该回营地了。"

狮爪回头看去，发现训练课已经结束，蜡毛和其他学徒正向空地走去，但没有莓鼻的影子。

"你先走吧。"他对暴毛说，"我一会儿就回去。"

"好吧。"暴毛跳起来向蜡毛和其他猫跑去。

"谢谢你啦，暴毛！"狮爪在他身后喊道。

暴毛摇摇尾巴作为回答，然后消失在灌木丛中。

狮爪转身向营地反方向的森林里走去。没走多远，他便停下脚步，看看暴毛是否真的走了。然后，他加快步伐，向风族边界跑去，气喘吁吁地在小溪边停下来，看着空旷的沼泽地。太阳正在西沉，落日的余晖将湖面染成猩红色，也为他投下了长长的身影。狮爪喜欢阳光的温暖，喜欢微风吹拂皮毛的感觉。

但眼前的景色看上去阴冷荒凉，令猫讨厌。没有隐蔽处，没有松软的苔藓，没有猎物藏身的灌木丛。狮爪知道，他绝不可能和风族一起生活。他会想念树林的，此刻，他听到树木就在身后，树枝轻轻摇动，发出微弱的吱吱声，风儿吹动树叶，沙沙作响。他永远不可能放弃这些，无论他有多爱石楠爪。

他知道，石楠爪也绝对不会到雷族生活。她站在树下就会有被困的感觉，她喜欢空旷的高沼地，喜欢坚韧而有弹性的野草，喜欢在斜坡上追逐野兔。暴毛一定是真心喜欢溪儿，才会背井离乡，和她一起住在山地里。

狮爪抬起头，凝视着远方。他只能看到阴沉沉、雾蒙蒙的地平线，看到群山朦胧的影子。一次边界巡逻时，溪儿曾指给他看她的家乡。他不知道溪儿是否感觉到，有一股力量正把她的脚掌往那边拖。

他不知道山地是什么样子。他经常听长辈们说起大迁徙，不同族群的猫翻山越岭，才找到他们在湖边的新家。

狮爪感觉脚掌痒痒的，很想去探险。他渴望知道雷族边界那边，所有族群边界那边都有些什么。世界这么大，他只看到了很小的一部分。外面，武士守则没有提及的地方，甚至巫医和长老们都不知道的地方，还有很多东西。

他吃力地把脚掌从边界上抬起来，开始往营地走。山地好像在呼唤我……但他怎样才能回应这声呼唤呢？

第 七 章

"我有一个计划。"冬青爪宣布道。她和煤爪已经把长老巢穴里的旧垫褥清理出来，此刻正在收集一棵老橡树根部的新鲜苔藓。森林里薄雾弥漫，头顶上，太阳正奋力地从云层中钻出来。

煤爪停下来，爪子插在柔软的绿色苔藓中："什么计划啊？"

"是关于成为武士的事。"冬青爪放下搜集起来的苔藓球，走过去坐在朋友身边一条弯曲的树根上，"太复杂了，要学打仗、捕猎，还有冗长的武士守则。我不能一口就吃成个胖子，因此，我决定一次只专注于一件事。"

煤爪眨了眨眼睛："我不明白。"

冬青爪叹息一声。她觉得自己已经说得够清楚了。"我将从练习捕猎开始。如果族猫吃不好，就不能捍卫领地，不能打仗。我要练习练习再练习，直到真正娴熟为止。然后，我再继续学其他的本领。"

煤爪开始重新收集苔藓。"我觉得这听上去有点儿鼠脑袋。"她喵道，"我的意思是，你不可能把其他所有事情都停下来，对吗？你会把我留下来给长老铺床，自己出去捕猎吗？"

冬青爪抬起一只脚掌,在煤爪耳边抓了一把,但没有伸出爪子。"不,当然不会。我知道我必须履行学徒职责,必须上训练课等等。但我的注意力会集中在捕猎上。"

煤爪打趣地嘲讽道:"如果蕨毛认为,你没把注意力集中在打斗训练上,我倒想听听他会怎么说。"

冬青爪恼怒地抓起一团苔藓,向朋友扔过去。她以为煤爪会反击。但出乎意料的是,这只年轻母猫却停下手里的活,抬头看着她,眼里透着一股严肃的神色。

"说实话,冬青爪,我认为这不是个好主意。当武士意味着你必须同时把什么事情都做好。你不能按顺序来。我知道我没解释得很清楚,但——"

"对,你是没解释清楚。"冬青爪抢白道,然后又急忙闭上嘴。煤爪是她最好的朋友,她不想和她吵架。"对不起哦,煤爪。"她继续说道,"我只是觉得那会适合我。如果你不愿意,不用和我一样的。"

煤爪伸过头,用耳朵摩挲着冬青爪的鼻子:"没事啦。你知道,只要有可能,我都会帮你的。"

冬青爪和煤爪把长老的垫褥换好时,刺掌和蕨毛正将学徒们集合到空地中央。

"要去捕猎吗?"冬青爪急切地问。

刺掌回答说:"不去。我和云尾要带我们的学徒到苔藓地,进行一些高难度的战斗训练。你和煤爪可以去观摩一下。"

"如果愿意,也可以参加训练。"蕨毛补充说。

煤爪兴奋地轻轻一跳:"我们走吧!"

她的老师云尾走到她身后,用尾巴拍了拍她的肩膀:"你要当心那条腿。如果觉得受不了,一定要告诉我。"

煤爪的兴奋顿时消失了:"我的腿没事,云尾。它不会阻碍我成为武士的,对吗?"

"希望不会。我们必须看看情况。"云尾的回答令她很沮丧。

冬青爪和煤爪碰了碰鼻子:"别担心,你会成为武士的。我确信。"

蜡毛和狮爪从学徒巢穴走过来。"都准备好了吗?"灰毛武士问道,"蜜爪呢?"

"沙风带她捕猎去了。"蕨毛回答说,"她一会儿再来找我们。"

乌云已经散尽,阳光正在驱散薄雾。树影中的野草上仍然挂满露水。冬青爪从一大簇蕨丛中钻过,露水滴落在她的耳朵上。她抽动了一下耳朵。矮树丛中弥漫着诱人的气味和声音。她迫切地想要实施自己的计划,参加捕猎巡逻队,而不是参加这次打斗训练课。况且大部分时间,她只能在一旁观看。

一下子涌入了四名学徒和各自的老师,那块空地显得有些拥挤。冬青爪和蕨毛一起坐在一旁有太阳的地方。狮爪和蜡毛就在离他们几条尾巴远的地方。冬青爪掩着嘴,打了个哈欠。云尾和刺掌正在给两名大一些的学徒示范动作:云尾跳起来,在空中转身,落下时正好撞在刺掌的肩膀上。

"现在,你来试试。"他招呼煤爪。

煤爪先在老师面前蹲伏下来,然后跳向空中,正确地转身,只可惜她跳得不够高。因此落下时,她不是撞在云尾肩膀上,而是笨拙地撞在他的腰上。云尾一脚踩住她的胸口,将她压在地上。

"第一次就能做到这样,不错喽。"他说着,让她站了起来,"但你那一跳的力度还不够。是腿的问题吧? "

煤爪眨眨眼:"不是啦,腿没问题。下次就好了。"

"还有,别忘了,"刺掌补充说,"在真正的战斗中,敌猫不会站着不动,等你落在他身上。你必须预测他的下一个动作。"

"我来试试吧。"罂粟爪主动请缨。

随着训练课的继续,冬青爪注意到,狮爪有些烦躁不安。"我会做那个动作。"他告诉蜡毛,"我能试一下吗? "

蜡毛犹豫了一下。"这是高级动作。"他指出,"要准备好了才能试。"

"我已经准备好啦。"狮爪坚持说道。他身上的毛已经开始直立起来。

蜡毛耸耸肩:"别说我没警告你哦。"

狮爪和老师起身走进空地,与其他正在训练的猫们保持着一段距离。冬青爪突然紧张了起来。

"那好,做来给我看看。"蜡毛说。

狮爪跳向空中,阳光将他的金色皮毛染成了火红色。他四爪离地,在空中漂亮地一转身,然后不偏不倚地落在蜡毛的肩膀

上。蜡毛惊讶地喵了一声,冬青爪也惊愕地睁大了眼睛。狮爪从哪里学会这个动作并把它做得如此完美的?

"怎么样啊?"狮爪从地上跳起来,挑战似的看着老师,"现在,你可以对我提高点儿难度了吧?"

"你想更猛些?"蜡毛的声音像是在低吼,蓝眼睛里闪着光,"狮爪,你提要求时可得当心呀。"

冬青爪觉得肩膀上的毛开始竖起来。蜡毛在开玩笑吧?

"我什么都能应付。"狮爪固执地说。

蜡毛跳起来,扑向狮爪,在他耳朵上狠狠一击。狮爪滚向一边,同时,后掌从蜡毛腹部抓过。眨眼之间,他已经重新站起来,跳向空中,用云尾刚刚演示过的动作撞在老师的肩膀上。蜡毛抬起后掌,摆脱狮爪。狮爪重重地摔落在地,冬青爪吓得往后一缩。蜡毛旋即跳到狮爪身上,两只猫扭打起来,滚到离其他学徒更近的地方。

罂粟爪不得不退到一边避让他们。刺掌用尾巴缠住她的肩膀,将她拉到空地边缘。云尾和煤爪走到他们旁边。训练课已经被忘到九霄云外了,众猫目不转睛地看着眼前的鏖战。

蜡毛正把狮爪当成武士在打。狮爪也毫不示弱!冬青爪惊异地看到,他一口咬住蜡毛的尾巴,然后猛地一拉,蜡毛失去平衡,倒向一边。她看到过莓鼻和同伴在成为武士之前练习过这个动作。但她认为,至少一个月后才能学会。

冬青爪看到,蜡毛的灰色皮毛上出现了红斑,她一下子僵住了。这下麻烦可大了,狮爪打架时爪子没有缩回!然后,她又注意

到，哥哥身上也在流血。蜡毛的蓝眼睛里闪着怒火，仿佛已经忘记这不是真正的战斗了。

"他们打伤对方了！"冬青爪转身对蕨毛说，"你不能让他们停下来吗？"

蕨毛还没来得及采取行动，蜡毛已经把狮爪按倒在地，两只前爪死死地压在他的胸口上。"你觉得这够猛了吧?"他气喘吁吁地问道。

但狮爪仍不认输。他继续用前掌猛击蜡毛的肚皮，同时奋力向两旁扭动，想摆脱那只体重比他更大的猫。蜡毛抬起一只脚掌，对准狮爪的耳朵打去。

"够了！"蕨毛跳上前，声音由于震惊而变得尖锐，"蜡毛，让他起来。狮爪，把爪子缩回去。训练到此结束！"

蜡毛转头怒视着蕨毛。但他那双蓝眼睛里的火焰已经熄灭，他向后退去。狮爪赶忙爬起来。蕨毛随即站到他们中间，以免他们再次打起来。

狮爪的胸脯急促地起伏着，大口地喘着气。他一只肩膀上的毛被扯掉了，鲜血正从伤口中涌出来。冬青爪看到，他腰上也有蜡毛的爪印。

但蜡毛的一只耳朵和一条后腿也在流血。他急促地喘了口气，大声说道："干得好，狮爪。你能像武士一样战斗了！"他环顾四周，又补充道，"你们刚才都看到了。希望你们都能像狮爪这样优秀。"

煤爪和罂粟爪交换了一个眼神，好像震惊得无语了。甚至冬青爪也不敢上前祝贺哥哥。训练课变得如此残忍,她很是不安。

"走吧。"蜡毛用尾巴招呼狮爪,"太好了。你不用再参加训练了。我们回营地去,你可以第一个去猎物堆上取食物。"

"谢谢了,蜡毛!"狮爪的呼吸变得平稳起来,毛也开始平伏下来。

"我还会告诉火星。"他的老师补充说,"你的学徒生涯结束时,雷族将有一个值得自豪的武士了。"

狮爪琥珀色的眼睛突然亮起来。他走在蜡毛旁边,高昂着头,尾巴高高翘起。众猫一直保持沉默,直到他们消失在灌木丛中,向营地方向走去。

然后,云尾缓缓吁了一口长气,好像他一直在屏住呼吸。"好了。看看你们有什么表现吧。"

"你会那样打我们吗?"罂粟爪紧张地问。

"当然不会。"是蕨毛回答的。他的毛仍然竖立着。冬青爪可以看出,这或许是因为刚才那场鏖战的激烈程度,要么就是因为她哥哥打得足够漂亮。"我们继续训练战斗技巧吧,但大家都必须把爪子缩回去。"

冬青爪加入到训练当中,但她很难集中注意力。她脑海中还残留着蜡毛眼里愤怒的火焰,他仿佛已经忘了是在训练自己的学徒。

训练课结束之后,冬青爪抢先跑回营地。她想看看哥哥是否没事。

她发现狮爪正在学徒巢穴里睡觉，身上盖着苔藓和凤尾草。他睡得很沉，连冬青爪走过去嗅他肩上的伤口时，他都没动。伤口已经没流血了，周围凝结着干枯的血块，那块皮被撕开了，布满血渍。他显然没到叶池那里去处理伤口。

"真是个鼠脑袋。"冬青爪心疼地嘀咕道。

她用舌头轻舔着狮爪的肩膀，直到把伤口舔干净，狮爪仍然没有动弹。他显然精疲力竭了。不过这也不奇怪。冬青爪轻轻地用鼻子碰了碰他的耳朵，让他继续睡。然后，她掀开黑莓帘走出洞口，发现父亲正在猎物堆前。

"嗨！"黑莓掌打着招呼，"我正要召集捕猎队。你想去吗？"

如果换成上午的早些时候，冬青爪会高兴得跳起来，但现在她在考虑更重要的事情。"我有重要事情要告诉你。"她一五一十地说出了狮爪和蜡毛打架的事。最后，她总结道："我觉得，蜡毛不该那样狠狠地推狮爪。我还以为他们会把对方撕成碎片呢。"

黑莓掌宽心地舒了口气。"你不用担心啦。我在森林里碰到了蜡毛，他都告诉我了。他真的为狮爪感到高兴。"他眯起眼睛，好像既欣慰，又尴尬，"他说狮爪会成为和他父亲一样优秀的武士。我想这是对他的称赞吧。"

冬青爪烦躁地用爪子刨着地面。"但你没看到当时的情景，"她不服气地说，"真的很恐怖。"

黑莓掌的尾巴尖轻轻抽动了一下。"打仗都很恐怖。"他指出，"如果我们必须和另一个族群打仗，他们是不会把爪子缩回去的。"

"但我们现在不和外族打仗了。"

"迟早会打的。我们必须做好准备。总有一天,狮爪会需要所有的技能。我为他自豪。我为我所有的孩子自豪:狮爪是一名能干的斗士。叶池告诉我,松鸦爪已经熟悉了所有的药草……"

"那我呢?"冬青爪竭力压抑住心中强烈的妒忌。我就没什么特别之处吗?

黑莓掌俯身过来,舔了舔她的耳朵,以示安慰。"你是我的小思想家啊。"他低声说道,"我需要你作出最好的决定,让你的兄弟们不出乱子。"

冬青爪眉开眼笑。如果想当族长,这是她需要的一种技能。

"好了。"黑莓掌抚摸着她的头,"现在,你想加入这个捕猎队吗?"

"但莓鼻为什么不能参加呢?"蜜爪抱怨道。

"因为他是森林里最令猫讨厌的毛球。"冬青爪咬牙切齿地说,不过声音不大,她的朋友听不见。

沙风和蜜爪已经加入黑莓掌和冬青爪的捕猎队。先前的战斗训练,蜜爪直到快要结束时才到,而且不停地向每只猫唠叨莓鼻的战斗技能有多棒。现在,冬青爪发现,自己很难闻出猎物的气味,因为同行的这名学徒一直在喋喋不休地谈论那名乳白色武士的事。

"莓鼻参加了黎明巡逻。"沙风解释说,如果换成冬青爪,才不会有这份耐心呢,"他该休息了。"

"但如果有他,我们捕到的猎物会更多哦。"蜜爪还不罢休,

"他是个能力超群的猎手。"

"嗯，没有他，我们才能做到最好。"沙风说道。

冬青爪心想，蜜爪一定没听出这只姜黄色母猫话里的讽刺意味，因为她竟然还没有知趣地把嘴闭上。冬青爪气得真想用尾巴把朋友的口鼻堵住。她恼火地跑到前面，不想再听到蜜爪的声音。

正午刚过。金色的阳光暖暖地照在冬青爪身上，她的脚掌踩在茂密凉爽的绿草上。森林里鸟鸣声声，空气中弥漫着绿色植物的清新气味。她跳跃向前，直到捕猎队的声音消失在身后。她在一座小山顶上停下脚步。前面的树更密了，树木间长满了蕨类植物和荆棘。她一时不知身在何处。她早已走过那些地洞入口，找不到任何其他熟悉的地标。然后，她闻到了微弱的流水气息，这才意识到自己正站在雷族捕猎区边缘，已经离风族边界不远了。

周围的一切都很平静，但有什么东西让冬青爪的毛发不由自主地直立起来。她的脚掌仿佛正让她往回跑，去找捕猎队的其他同伴。真没出息！你已经不是小猫了！她在心里责骂自己。这是雷族领地，没什么好怕的。

她决定往回走，但必须先抓到一只猎物，以向自己证明她不是胆小鬼，她什么都不怕。她抬起头，张开嘴，深深地吸了一口气。

有猫的气味！冬青爪仔细分辨着，想弄清楚风族猫是否再次擅闯了雷族领地。但不是风族猫的气味。不是冬青爪以前遇到过的任何猫的气味。难道是泼皮猫入侵领地？

"你没事吧？"

听到父亲的声音，冬青爪欣慰地长舒了一口气。她转过身，看到黑莓掌正向她走来，父亲强健的肩膀在凤尾蕨中时隐时现。沙风和蜜爪在他身后不远处。

"我没事。"冬青爪回答道，竭力掩饰那股奇怪的气味引起的惊慌，"我闻到猫的气味了，但不是我所熟悉的。"

黑莓掌嗅嗅空气，然后警惕地看着沙风。沙风也回以同样的眼神。姜黄色母猫向他走近一步，伏在他耳边说了句什么。黑莓掌点点头，琥珀色的眼睛阴沉下来。

"以最快的速度跑回营地去。"他对两名学徒说，"让火星派更多的武士来。"

"但暴毛和溪儿不能来。"沙风补充道。

冬青爪不明白，武士们的声音为何听起来如此急迫。因为紧张，他们的皮毛正像绿叶季的闪电一般噼啪作响。

"怎么啦？"蜜爪惊奇地问道，"出什么事了？"

"如果有危险，我们不能让你们留在这儿。"冬青爪抗议道。

"没有危险。"黑莓掌镇静地补充说，"但我们需要更多的武士。马上行动！"

冬青爪和蜜爪胆怯地交换了一个眼神，疾步穿过森林，向营地跑去。恐惧让冬青爪毛发倒竖，心跳得比奔跑的速度还快。

一钻进荆棘通道，她便大声喊道："火星，火星！快来！"

一直跑到高岩下，冬青爪才猛地停下脚步。她看到在长老巢穴里打盹的鼠毛猛地惊醒，一跳而起，抽动着尾巴。云尾箭一般

WARRIORS
猫武士

地从武士巢穴中冲出来,毛发直立,脚掌刨着地面。在他身后,亮心、尘毛都迅速警觉地把头从树枝中伸了出来。黛西的两只幼崽正在育婴室附近的一片阳光下玩耍,猫后急忙呵护地用尾巴环绕着他们,把他们赶进洞。

火星从高岩上的洞穴中走出来,问道:"怎么回事啊?"

"陌生的猫味……"冬青爪吃力地喘着气说。

"在风族边界附近。"蜜爪补充道。

"黑莓掌说——"突然,身后传来吼叫声,冬青爪连忙转过身去。一小队猫正从荆棘通道中走进营地:灰条打头,桦落和白翅紧随其后。

但这并不是让冬青爪立即弓起背,每一根毛都刺痛起来的原因。三只雷族猫后面还跟着两只她不认识的猫:一只大块头深棕色虎斑公猫和一只纯黑色母猫,母猫比雷族猫瘦小一些。灰条和两名年轻武士紧紧地围住那两只猫,不允许他们再往营地里走。那只母猫刚要开口说话,灰条便威胁地嘘了一声,她便立即不吱声了。

冬青爪伸缩着爪子,尾尖来回摇动着。那两只陌生猫身上发出的气息,与她在风族边界闻到的气味相同。是入侵者的气味!

第 八 章

听到营地入口处传来的喊叫声,松鸦爪一下子僵住了,他举着一只脚掌,爪间还抓着一根水薄荷。"出什么事了?"他急切地问道。

叶池没有回答,因为刺掌抱怨肚子疼,来请她作检查。松鸦爪猜想,叶池把病猫诊治完之前,即使有一群獾来践踏石头山谷,她恐怕也注意不到。

"松鸦爪,我要的水薄荷呢?"她大声喊道。

"在这里哦。"松鸦爪又抓了几根水薄荷,递给老师,然后飞一般地冲出黑莓帘,向空地跑去。他能听到树叶的沙沙声和急促的脚步声,武士和学徒们都正从各自的巢穴中冲出来,想看看出了什么事。惊慌的低语声从空地的每个角落和高岩下传来。松鸦爪闻出冬青爪和蜜爪身上发出了浓烈的惊恐气息。

灰条的说话声已经变成可怕的吼叫声:"不准再走一步,先说清楚,你们在我们的领地上干什么?"

松鸦爪闻出了两只陌生猫的气息,毛发立即直竖起来。好像是灰条和他率领的巡逻队抓到两只擅闯雷族领地的外族猫了。

松鸦爪仔细分辨着,那种气味很强烈,还包含着某种似曾相识的感觉,不过,他记不起在哪里闻到过。

松鸦爪全神贯注地解读那两只猫此刻的感受,就像呼吸他们的气息一样。他能感觉出恐惧、怀疑,还有一种无法抑制的绝望。他们好不容易才来到这里,但别无选择。

他们需要雷族的帮助!

没等那两只猫开口,荆棘通道附近又响起了声音,更多的猫回来了。是暴毛和溪儿,他们嘴里叼着刚捕到的猎物。

"鹰爪! 无星之夜! "溪儿惊叫道,嘴里的田鼠落到了地上,"你们在这里干什么? "

云尾说话了,声音里满是怀疑:"看样子,你认识这些猫? "

两只陌生猫还没回答,冬青爪便说:"火星,这些就是我们在风族边界闻到的猫。黑莓掌派我们回来报告他们的入侵。"

"他们不是入侵者。"叶池从巢穴里走出来,抚摸着松鸦爪的皮毛,不动声色地说道,"他们从急水部落而来。"

火星从岩石上走了下来:"说得没错。这是鹰爪,对吗? 还有无星之夜? "

"没错。"一个带有外族口音的声音镇静地回答。

松鸦爪能感觉到,空地上的紧张气氛开始松弛下来,还听到几位老雷族猫在低声说着什么——那些参加过大迁徙,在山地的急水部落里住过一阵子的猫……

"他们想干什么啊? "栗尾问道。听上去她并没有敌意,但显得有些迷惑。

"我想，我们很快就会知道了。"蕨毛抽动着尾巴，"他们从那么远的地方跑来，一定有很重要的事情。"

"暴毛，溪儿。"火星命令道，"把猎物放到猎物堆上去。你们一定很想和老朋友叙叙旧吧？"

"好像不是那么回事。"冬青爪伏在松鸦爪耳边悄声说道。刚才，松鸦爪全神贯注地听其他猫说话时，她已走到他身边。"溪儿似乎真的很不安，暴毛看上去好像鼻子底下沾了鸦食。"

"他刚才还轻轻推了溪儿一下。"狮爪走了过来，"但她根本不想走到他们旁边去。"

松鸦爪可以从哥哥的脚步声中听出他步伐僵硬，看来和蜡毛打架时受的伤不轻。但他也能感觉到狮爪的自豪，仿佛他知道自己打得不错。

"他们现在碰鼻子了。"冬青爪低声报告说，"但是，他们看上去好像——"

松鸦爪没听到她后面的话。突然间，脚掌下的地面倾斜了，他感觉到血正冲刷着他的耳膜，闻到了鲜血的恶臭味。猩红色的光正照在他身上。他意识到，自己看得见了。

身边挤满了互相厮打的猫。他能听到他们的号叫声和爪子撕扯皮毛的声音。鲜血溅落在他身上，温热、黏稠。脚下是坚硬的石头。松鸦爪用脚掌在石头上乱抓，奋力保持平衡。他正站在一块慢慢下滑的倾斜的大石头上。他紧紧扒住一条狭窄的石头缝，勉强让自己没有摔落下去。然后，他看见下方是万丈深渊，头顶只有血红的天空，太阳正在下沉。

身处这样的高度，身边的群猫激战正酣，松鸦爪头晕目眩，感觉脚掌已经被冻结在岩石上。他在哪儿？这不是梦，但湖边的空地已经消失，仿佛从未存在过。景色忽隐忽现，他强忍着才没有恐惧地尖叫出声。眼前又暗了下来，但不是他瞎眼时的那种永夜之黑。他站在一个洞里，洞中回荡着水顺着岩石流下的声音。月光透过洞口的水帘照射进来，闪着微光。

他的周围坐满了猫，他们互相低声交谈着，声音很严肃。松鸦爪能闻出他们的气味，是那些刚到营地的入侵者的气味。他们就坐在他对面：一只巨大的虎斑公猫，一只较小的黑色母猫。洞那边的动静吸引了他的目光，他看到一名强健的武士站了起来。他闻出那是暴毛，而他旁边的母猫一定是溪儿了。

暴毛和一只坐在洞顶大石上的灰猫说起话来。"我们不可能期待这些猫自己离开。"他说，"他们想在这里定居，压根儿不在乎会给我们添多少麻烦。我们需要证明，他们必须尊重我们的领土主权。"

"怎样证明呢？"另一只猫问道。

"听我说，我们不想任何别的猫住在我们旁边。"说话的是那只虎斑猫，"这些山是我们的。"

"现在已经不是了，鹰爪。"暴毛遗憾地说。

"我们必须习惯这一点。"溪儿补充道。

暴毛赞同地点点头："我建议——"

岩石上的那只灰猫抽了抽尾巴："杀无尽部落还没向我们传递任何与此有关的消息。"

"也许,这些新来的猫的祖灵们住在与杀无尽部落不同的天空。"暴毛的声音里充满了崇敬,但松鸦爪能感觉出他很受挫。"部落已经习惯于驱逐泼皮猫,"这名灰色武士继续说道,"但这次有所不同,我们必须找到别的办法来对付他们。"

无星之夜,就是那只黑色母猫,跳上前来,伸长脖子看着暴毛。"你有什么建议吗?"

"问他干什么?"一只瘦骨嶙峋的棕色斑点猫问道。他正蹲伏在潺潺流动的水帘旁边。他的年龄一定很大,口鼻上的毛已经白了,只剩一只眼睛。"他刚来山地,怎么知道我们的办法?"

"正因为如此,我们才该听听他的意见。"鹰爪反诘道,"暴毛的家乡有很多猫。他一定比我们更清楚,怎样应付这些陌生猫。"

"没错!"一只猫从阴影中喊道。

更多的猫七嘴八舌地发表起意见来,有的反对暴毛,有的支持他。洞中回荡着猫语声。暴毛温柔地对溪儿说了句什么,她用鼻子摩挲着他的肩膀,作为回应。

松鸦爪抽抽耳朵。"没错,"他也小声说道,"还是让他说吧。"

最后,岩石上的那只灰猫竖起尾巴,示意大家安静。"我们听听暴毛的意见吧。"他宣布道。

暴毛点点头说:"谢谢你,尖石巫师。"然后,他转身看着部落猫,犹豫了一会儿,终于说道:"在我过去生活的森林里,所有的族群都知道不能侵犯别族领地。擅闯者会被驱逐出去。"

"我们怎样驱逐啊?"那只瘦骨嶙峋的老猫问道,"这些入侵者想去哪儿就去哪儿。"

"我们需要展示我们的力量,雨水。"暴毛解释说,眼睛里闪着光,"应该只需要一场战斗即可。然后,这些闯入者或者永远消失,或者远离我们。"

松鸦爪惊讶地看到,溪儿上前一步,站在伴侣身边。在湖边的石头山谷中时,她温柔恬静,但现在,她尾巴竖起,目光坚定地环顾着四周的部落猫。

"暴毛会教我们怎样做的。"她坚定地说道,"他熟悉这些陌生猫想象不到的打斗动作。"

"但也可能是让我们都去送死的动作。"那只叫雨水的老猫嘀咕道。

"急水部落已经在这些山中生活了一季又一季,"溪儿继续说道,"难道我们就这样离开吗?"

"不能!"洞穴四周响起几声回答。几乎每只部落猫都站了起来,毛发直立,龇牙咧嘴。只有几只猫,包括那只毛色灰白的老猫,待在原地没动,怒视着其他部落猫。咆哮声中,尖石巫师一动不动地坐在他的岩石上。松鸦爪看不到他的表情,也体会不到他的感受。

突然,松鸦爪意识到月光正在减弱。部落猫急切的叫喊声变成了恐惧和暴怒的号叫。另一只猫从他身边冲了过去。一阵冰冷的风从他身上掠过,吹得他站立不稳。空气中顿时弥漫着血腥的臭味。

松鸦爪眨眨眼睛,发现自己又站在光秃秃的山坡上了。空中已经现出微弱的曙光,云层笼罩着山顶。他就躺在小溪边上,尾

巴悬垂在奔涌的溪水上方。他懊恼地嘘了一声,爬起来,抖落冰冷的水滴,吃力地在湿滑的岩石上站稳。

狭窄的山谷中,殊死搏斗着的猫的身影此起彼伏。松鸦爪看到鹰爪正在不远处,与一只强壮的银色猫扭打在一起,他用后掌猛击入侵者的肚皮。很快,入侵者的喉咙被撕破,但鹰爪动作太慢,没能咬住对方的脖子。

连学徒都不如! 松鸦爪恨恨地想。

山谷中稍远的地方,暴毛跳到了一块大石头上。"撞他们的肩膀!"他喊道,"别让敌猫把你们按倒!"

他重新投入战斗,爪子在一只虎斑母猫肚皮上狠抓一把,然后转身迎战一只强健的黑色公猫。那只公猫正把一只小部落猫叼在嘴里摇摆着,仿佛那是一块猎物肉。

溪儿也在旁边,无星之夜站在她身后。她们潜伏在一块大石头边上,准备像围捕猎物一样,悄悄地靠近两个入侵者。松鸦爪咬紧了牙齿。尽管这只纤瘦的母猫从未接受过战斗训练,但她和同伴都勇敢地向敌猫跳过去。那两个入侵者的体型几乎比她们大一倍,他们挥动爪子开始反击。

松鸦爪被另外两只鏖战正酣的猫撞到一边,摔落在两块岩石之间的一丛带刺的灌木中。一只猫扑到他身上,他徒劳地用爪子去推那堆沉重的皮毛和肌肉,嘴里充满了血腥的臭味。开始他还以为自己就要死了,然后,那只猫痉挛地抽动起来,并站起身,拖着脚步走到一块大石头的阴影中去了。

松鸦爪摇摇晃晃地站起来,身上的毛被灌木上的刺扯掉不

少。另一只部落猫从他身边逃过，是一只强壮的黑灰色公猫，皮毛绽开，一只肩膀鲜血淋漓。一只黑白相间的猫追上他，猛地撞向他的腰部，将他撞倒在地。

"把他的肚皮撕开！"松鸦爪嘶声喊道。

部落猫没有听见。他勇敢地还击，甚至入侵者把他的腹部撕开一道长口子之后，他也没有放弃。可惜他的战斗力太弱，无法摆脱入侵者。那只入侵公猫在他喉咙上狠狠地咬了一口，然后跳到一边，让部落猫尚未僵硬的身体一半泡在水中，一半挂在岸上，灰色皮毛慢慢地被鲜血浸透。

松鸦爪又看到暴毛了。这次，他在一群部落猫中间，包括鹰爪。这名灰色武士正在大声鼓舞部落猫，想从入侵者中间杀出一条血路，将他们击退，但入侵者洪水一般涌向他们。

"撞翻他们！"暴毛吼道，"别让他们——"他的命令还没下达完，两个入侵者已经从两边同时扑向他。利爪狂舞，牙光闪动，暴毛消失了。

部落猫节节败退，顺着小溪往更陡的坡上逃去。一只猫在黑灰色公猫尸体旁停下脚步，发出一声悲痛欲绝的哀号，然后疾步跑开，消失在远处的阴影中。

"这就对了，快跑吧！"那只银色虎斑公猫跳到一块大石顶上，嘲笑落荒而逃的部落猫，"跑吧，永远别再回来啦！"

"一群逃命的兔子！"一只棕色和白色相间的母猫跳到银色公猫旁边，"这里现在是我们的地盘！"

"不——别跑！"暴毛满身血迹地摆脱入侵者，尖声喊道，"我

们能将他们赶走！"

　　除了溪儿之外，没有一只猫听他的。她站在暴毛身边，不停地乞求部落猫回来。然后，她回过头去，看到另一群入侵者正飞快地顺着斜坡爬上来，她脖子上的毛发顿时直立起来。

　　"暴毛！没用了！"溪儿哀号道，"我们打不过他们。"

　　"你走吧。"暴毛用尾巴尖轻轻抚摸着伴侣的肩膀，声音嘶哑地咆哮道。

　　"你不走，我也不走。"溪儿眼里虽然满是恐惧，但爪子紧紧地抓住泥土。

　　暴毛焦急地低吼一声。"走！"他猛地推了一下溪儿的肩膀，"快走，我马上就来。"说罢，他向已经近在咫尺的入侵者发出最后一声怒吼，便跟在溪儿身后，向小溪上游跑去。

　　入侵者没去追他们，而是站在原地，得意洋洋地看着他们逃跑，直到最后一只部落猫消失。

　　松鸦爪摇摇晃晃地站起来，等他的视线再次清晰时，发现自己又在那个洞里了。他身上仍然沾满鲜血，但战斗声已经消失。月光透过流水照射进来，洞壁上银光摇曳。他唯一能听见的就是流水声。

　　尖石巫师正坐在岩石上，毛发凌乱，身上结着血痂。其他部落猫挤在他身边。松鸦爪看到，每只猫身上都有伤。洞中央躺着几具还没僵硬的尸体。暴毛正低头看着其中的一具。松鸦爪认出，是他先前看到过的那只深灰色公猫。

　　"锯齿，"暴毛低声说，"好兄弟，愿你和杀无尽部落一起，永

居山地。"他低下头,用鼻子碰了碰那团纠结的灰毛。溪儿默默走到他旁边。

"过来休息一下吧。"她劝慰道。

但这名灰色武士还没挪动步子,尖石巫师的声音就从洞的另一头传来:"暴毛!"

灰色公猫抬起头来。

"暴毛,你有什么话说?"

暴毛神情黯然地说:"你想让我说什么呢?部落猫发挥了最大的本领,我从没见过如此勇敢的斗士。我们必须重新制定一个计划,以便——"

"不。"尖石巫师的声音异常冷漠,"不用你再制定什么计划了。我们采纳了你的建议,但被打败了。许多优秀的猫都死在战场上。"他用尾巴指了指洞底的那些尸体。

"我告诉过你们会有什么后果。"雨水蹲伏在尖石巫师的脚下,"但你们不听。"

"对不起——"暴毛还想说话。

"族群的办法在这里行不通。"尖石巫师打断他,"山地没有族群猫的位置。如果你留在这里,只会给我们带来厄运,让我们伤亡更多。你必须走,永远别再回来。"

"什么?"暴毛难以置信地盯着他,"你在怪我,而我——"

"够了!"尖石巫师怒吼道,"马上走!"

溪儿走上前去:"巫师,这不公平。暴毛竭尽全力帮助我们,他冒的风险和其他猫一样大。他也差点儿和锯齿及其他猫一起躺在那块山地上。"

"如果我们没听他的,那些猫现在还活着。"尖石巫师的目光比寒冰还冷。

"他说得对,溪儿。"鹰爪站在尖石巫师旁边的大石头上,烦乱地抽动着耳朵,"族群猫的办法不适合我们。"

溪儿睁大了眼睛。松鸦爪能切身体会到她的难过。"但是鹰爪,你是我的哥哥。"她的声音在颤抖,"你明白吗?"

鹰爪用前爪刨着洞底:"这样对部落最好。"

"无星之夜?"溪儿转身恳求黑色母猫,"我们从小就是好朋友,一起捕猎,一起战斗。你看不出部落需要暴毛吗?"

无星之夜眯起眼睛说道:"我能看出的,是你需要暴毛。"

溪儿的耳朵贴在头上,爪子分开,怒斥道:"你的意思是说,我对部落不忠吗?"

无星之夜没有说话,把头转开了。

"到此为止!"尖石巫师大声说道,"暴毛,急水部落不再欢迎你。你必须马上离开!"

溪儿的尾巴直立起来,咬着牙说:"他去哪儿,我就去哪儿!"

"溪儿,说话当心些。"暴毛低声说。

这只温柔的狩猎猫眼里闪着炙热的光:"你认为,发生了这些之后,我还能留在这里?"

"暴毛说得没错,你说话应该三思。"尖石巫师站起来,居高临下地从大石顶上看着其他猫,"你真的想把自己的命运托付给这只猫,以及他的族群吗?你能信任他吗?"

"我愿以命相托。"溪儿回答道。

尖石巫师摆摆尾巴，明确表示不屑："这只族群猫对我们做了这一切之后，你还执迷不悟，简直和小猫一样幼稚。"

暴毛弓起背，嘴里发出嘶嘶的声音："你好像已经忘了，我的妹妹是为部落而死的。如果不是族群猫，你们早就被尖牙吃光了。"

松鸦爪注意到，有一两只部落猫——包括鹰爪——都不自在起来，但谁也没有说话。

"走吧，溪儿。"暴毛催促着伴侣，向水光闪动的洞口走去，"我们去找族群猫。"

"溪儿，如果你现在离开，就永远别再回来！"尖石巫师警告道。

溪儿甚至没看他一眼，就和暴毛一起走远了。

"很好。"尖石巫师在他们身后喊道，"我会禀告杀无尽部落，在其他部落猫眼里，你们俩已经死了！"

第九章

"松鸦爪！嘿，松鸦爪！"松鸦爪突然觉得腰上被推了一下。冬青爪的气味飘过来，声音听上去很愤怒。

他踉跄一下，还没反应过来自己又变成了瞎子，又闻到了石头山谷的气味，听到了石头山谷里的声音。他身上的每根毛还在颤抖，还能感觉到洞穴中那种悲痛、愤怒和背叛的情绪。

溪儿！他心想。我和她的感受一样！这不是梦。我一直醒着。难道是我找到办法进入她的记忆了？

他急促地喘着气，想到自己具备了这种新的不同的力量，心里充满了兴奋，但现在没时间进一步探索这种力量了。

"松鸦爪，真不知道你怎么这时候还能做白日梦。"狮爪说道，"我们需要认真倾听，弄清楚这些猫为什么来这里。"

松鸦爪这才意识到，尽管他感觉好像在急水部落待了几天，但在空地上，却只过了一会儿。那两只新来的猫正和暴毛、溪儿、火星一起蹲伏在猎物堆旁。

"我想，我知道为什么。"他嘀咕道，"我觉得暴毛和溪儿不喜欢看到他们。"

"什么意思啊？"冬青爪问道，"他们为什么不想看到部落猫？"

松鸦爪还没来得及解释——至少要到半夜，才能把刚才经历的事情讲完——他便听到了鹰爪嘶哑的声音。

"火星，我们来请暴毛和溪儿回山地去。急水部落需要他们。"

松鸦爪觉得皮毛兴奋得刺痛起来，因为急水部落对溪儿和暴毛的驱逐声还在他耳朵里回响。但他听到，雷族猫除了好奇之外，没有任何反应。

"什么？"暴毛愤怒地低声吼道，"你们怎么敢跑到这里来，提出这样的要求？在部落猫眼里，我和溪儿已经死了！"

松鸦爪听到了雷族猫的惊呼声。"我说得没错吧？"他耸耸肩，悄悄地对哥哥姐姐说道。

"暴毛，我觉得你最好解释一下。"火星的声音很平静，但松鸦爪能听出，他很关心那两只冒险来雷族的部落猫。

暴毛开始讲述泼皮猫入侵的事，但松鸦爪不用再听，他已经亲身经历过。现在，他更感兴趣的是弄清楚自己是怎样做到的。我一定进入溪儿的记忆了。他想再试一下，但此刻，那只虎斑母猫正专心聆听伴侣的讲述，并观察其他猫的反应，记忆里一片空白。

荆棘通道中传来一阵声响，有猫进来了。暴毛停止了讲述。

"火星！"黑莓掌喊道，"我们闻到入侵者的气味了！"

"他们已经到了这里。"火星回答说。

松鸦爪意识到，与黑莓掌一起回来的还有沙风和松鼠飞。

"鹰爪！无星之夜！"松鼠飞喘着气，"我就感觉到是部落猫。"

"一想到爸爸妈妈和部落猫一起待过那么长的时间，我就觉得很奇怪。"狮爪摆弄着爪子说道。

"嗯，不是只有我们喜欢冒险哦。"冬青爪提示道。

"太好了，我们又见面了。"松鼠飞继续说道，"你们在这里干什么呢？"她停顿了一下，又补充说："为什么大家看上去都像天塌下来了似的？"

"我想，你们最好听暴毛把话说完。"火星平静地说。

灰色武士继续讲述。松鸦爪在溪儿的记忆中见过他，能够想象到他现在的样子：瘦长结实，蓝眼睛里燃烧着愤怒。

"族群猫离开山地，继续踏上大迁徙的路途之后，"暴毛说道，"不久，另一群猫来到了山中。"

"我们开始还以为他们只是路过，"溪儿解释说，"还准备把他们当客人款待……"

"但他们明确表示想在山地定居。"暴毛继续说道，"他们偷我们的猎物，甚至在瀑布后面的岩洞附近捕猎。"

"一群满身跳蚤的盗贼！"鹰爪怒吼道。

"之前从未有谁和我们争抢领地。"溪儿抽动着尾巴，"偶尔会有几只流浪猫跑到山地来，我们一律将他们驱逐出去。但我们不知道如何应对这么一大群猫。"

暴毛接着讲述："我以为我们需要展示一下力量，证明我们有能力捍卫领地。我率领部落猫投入战斗，想警告入侵者不准骚

扰我们,不准偷盗我们的猎物。"

"结果,他们把我们撕成了碎片!"无星之夜愤怒地说。

"部落猫没接受过雷族武士这样的战斗训练。"暴毛解释道,"我们被打败了,几只猫因此而战死。"他犹豫了一下,当他再次开口说话时,声音悲痛无比,"锯齿也在其中。"

"锯齿死了?"松鼠飞惊叫道,"不会吧?星族啊。大迁徙中,我们被困在雪地里,是他把我们救出来的。"

"每一只认识他的猫都会怀念他。"黑莓掌补充说。

"尖石巫师把责任归咎于我。"暴毛的声音像死亡浆果一样苦涩,"他把我赶出了部落。溪儿坚持要跟我一起走。"

"我有别的选择吗?"溪儿嘀咕道,仿佛她的话只是为了说给暴毛听。松鸦爪突然想起他们出洞时的情景:毛发倒竖,公然藐视部落头领。

"尖石巫师能有其他选择吗?"鹰爪反驳说,"部落猫死了,他必须有所行动。"

"他说我们已经死了!"溪儿的声音之前还那么温柔,现在却变成了怒吼。

"部落猫做了那样的事情之后还敢来这里,简直不敢相信。"冬青爪伏在松鸦爪耳边悄悄地说道。

"真遗憾,暴毛。"黑莓掌发自内心地说,"你早该告诉我们的。"

"那有什么用吗?"暴毛问道,"你们收留了我们。我们现在是雷族猫了。"

松鸦爪听到溪儿嘀咕了一声,但她的声音太小,他没听清她说了什么。他想:溪儿不是雷族猫,她是部落猫,永远都是,她在这里从来没有过家的感觉。

他向她伸出爪子,但无法进入她的记忆,只是感觉到她心中风声雷动,流水潺潺,鸟鸣声声,鸟儿巨大的翅膀投下的阴影足以遮蔽一支巡逻队。

他的注意力重新回到空地上。鹰爪又说话了:"我们来请求你们的帮助。"

暴毛急喘了一声,但没有打断鹰爪的话。

"尖石巫师错了。"鹰爪的声音有些尴尬,"现在,入侵者在偷猎我们的食物,部落猫都快饿死了。"

"那与我有什么关系?"暴毛冷冷地问。

"我理解你的感受。"鹰爪看了他一眼,"我也被驱逐过一次,因为我没能打败尖牙。我知道那是什么滋味。但是——"

"要不是暴毛和其他族群猫,你根本不可能重回部落。"溪儿提醒他。

"没错。但是,当我知道自己能帮助部落时,我原谅了他们。而且,溪儿,我们是兄妹,我想念你,想你回家。你可以在这里的树阴下生活,可以在这里的野草中奔跑,但你属于急水部落。"

松鸦爪听到溪儿长叹了一声。"我会和你一起回家的。只要我能做点儿什么,我就不能眼睁睁地看着同胞受难。暴毛……"她的声音哽住了,"你不必回去。你不是部落猫。"

"你去哪儿,我就去哪儿。"暴毛坚定地说道,"尖石巫师驱逐

我的时候,你就是这样说的。你认为我不会为了你这样做吗? 我永远不会原谅,尖石巫师对部落猫宣布我已经死了,但没有理由在你的同胞受难时置身事外。"

"我也去。"听到黑莓掌的声音,松鸦爪的耳朵惊讶得竖立起来,"我的足印已经和部落猫的足印交织在一起。我要对得起我们的友谊。"

松鸦爪感觉到了暴毛的震惊。"你没必要这样。"灰武士说。

"不,我要去。部落现在需要身强体壮的武士。饥饿和长期的战斗已经让他们虚弱不堪,他们怎能再保护自己? "

"我也去!"听上去,松鼠飞已经打定了主意,"你上次都没能把我落下,我那时甚至还不是武士呢。"

"火星,"黑莓掌问道,"你认为如何? 我们可以去吗? "

狮爪收紧肚子,等着火星的回答。他还没机会想清楚,这对他可能意味着什么,但他知道这真的很重要,雷族武士应该到山地去。但黑莓掌是副族长,火星会让他离开族群吗?

"你们可以去。"火星回答道,"大迁徙中,急水部落为族猫提供过食宿。现在该我们帮助他们了。这同时也是为了暴毛和溪儿。"他又补充说,"你们一直忠于雷族。獾袭击雷族时,多亏了你们的帮助。"

"谢谢你。"鹰爪嘶哑的声音中透出一丝安慰,"急水部落感谢你。"

松鸦爪知道武士们的兴奋和共同的愿望。他的脚掌也痒痒的。但学徒有可能一同前往吗?

第 十 章

狮爪兴奋得每根毛都竖立起来。他渴望已久的时刻终于来了。他有机会去山地了！如果入侵者像暴毛和鹰爪说的那样强壮，四只雷族猫不足以击退他们。显然，星族已经安排好了这一切，让他有机会去急水部落。他可以去了解部落猫,让他们看看真正的武士是什么样子的。

他用爪子刨着石头山谷的地面。四周的石壁仿佛突然逼近了，将他席卷进去。他感到了从未有过的憋闷。石头的重量好像正压在他身上。他想沿着最陡峭的悬崖爬上去，想在森林里穿行，想在小山上奔跑，一直迎着风跑进山中。

"别激动啊！"松鸦爪说，"他们可能不会带学徒去的！"

狮爪转转眼珠："松鸦爪，希望你不要老是解读我的心思。"

"你的意思是，你想去山地？"冬青爪好奇地问道。

"他们需要更多的猫。"狮爪振振有词地为自己辩解，"四只猫远远不够，但松鸦爪可能说得没错 ，"他的兴奋立刻消失了，他也意识到，急水部落需要的是战斗经验丰富的武士，"他们很可能不会带学徒去。"

"冬青爪想去，我也想去。"松鸦爪出乎意料地宣布说，"黑莓掌和松鼠飞要去，那我们为什么不应该试着要求一起去呢？即使他们说不行，我们问一问也不会挨打吧？"

"你真的想去？"狮爪问冬青爪。

她跳起来，抖动尾巴，颤动着胡须："我想知道，部落猫是怎样生活的。我从未见过和我们不一样的猫。我们可以学到很多东西。"

松鸦爪赞同地嘀咕了一声，不过没说自己为什么想去。但狮爪心想，这是他一贯的风格。他的想法总是比猎物藏得更深。

"我也想知道森林那边有些什么。"他承认道，"我知道这里是雷族的家，但外面还有许多其他领地，我想知道它们是什么样子。"

"嗯，那么，我们应该——"冬青爪刚要说什么，火星便从猎物堆旁站了起来。

"我们需要讨论一下，"他说，"但我的巢穴太小，装不下这么多只猫。我们到森林里去吧。"他看着其他站着听他说话的猫，补充说，"灰条，沙风，叶池，你们也去。"

狮爪看着那些猫向荆棘通道走去。其他猫好像都不愿意回去做自己的事，而是挤作一团，目光中透着怀疑。

"我们没必要让武士冒险去帮助部落猫。"蛛足大声抱怨道，故意让正在离开的猫听到，"我们自己的麻烦还不够多吗？"

火星的耳朵抽动了一下，好像听到了那名年轻武士说的话，但他没有停下脚步，而是头也不回地走进荆棘通道。

"现在这里很和平。"白翅指出。

蜡毛正坐在云尾和亮心之间，他站起来说道："白翅说得没错。我们可以分出几名武士。黑莓掌帮助急水部落是对的。还记得大迁徙的时候吗？如果不是他们找到我们，我们已经冻死在雪地里了。"

"我认为这简直是胡闹！"鼠毛大步走到蜡毛身边，细长的棕色尾巴摇动着，"即使部落猫不能捍卫自己的领地，那也是他们的问题，不关我们的事。"

长尾走到她身边，用尾巴尖碰碰她的肩膀。"我倒是想回山地去。"他的声音中充满渴望，"我知道，我没看见过部落猫生活的地方，但我能感觉到那里广阔的空间，感觉到微风吹动皮毛，也能闻到风从远方吹来的所有气息。"

"我也想回去！"桦落的眼中充满了回忆，"大迁徙有趣极了！我在影族有三个好朋友：小蟾蜍、小苹果和小沼泽。不知道他们现在怎样了。"

"谁在乎呢？"莓鼻抽抽尾巴，狮爪从这名乳白色武士眼中看到了妒忌，"影族猫不再是你的朋友了。你忘了在边界上，差点儿连毛都被他们扯掉吗？"

那是谁的错呢？狮爪在心里问道。桦落垂下头，尾巴耷拉下来。

"不管怎么说，"莓鼻继续说道，"我就看不出山地有什么好的。听说山上光秃秃的，冷得要命，连猎物都没有。"

尘毛眯起眼睛，怒声说道："你知道什么，你又没去过！"

莓鼻粗鲁地转过身去，背对着年长的武士。狮爪用尾巴示意弟弟妹妹跟他走，一直走到别的猫听不到他们说话的地方。

"太好了！"他欢呼道，"如果桦落还是小猫时，都能从山中活着出来，那学徒为什么不能去？"他又对松鸦爪补充说："你也没问题啦。毕竟，长尾当年都行。"

狮爪看到，松鸦爪脖子上的毛开始竖立起来，但他太兴奋，顾不上这句话会让弟弟不高兴。如果别的猫一提到他眼瞎的事他就发怒，那就是他自己的问题。

"我们得去找火星，赶在黑莓掌和其他猫离开之前，请他同意我们去。"狮爪环顾四周，看是否有猫在注意他们，却发现那群猫已经慢慢散开了。云尾叫亮心和尘毛出去捕猎，长老已经回到自己的巢穴中。另外两、三名武士走到猎物堆前拿了一些猎物。黛西和米莉趴在育婴室外的阳光下，互相梳理着皮毛。黛西的幼崽在她们身边嬉戏。

蜡毛和蕨毛正在空地中央说话。冬青爪向他们的方向动了动耳朵，催促道："快点儿啊，我们得趁老师没注意的时候溜开！"

说罢，她便冲过空地，疾奔进荆棘通道，狮爪紧随其后。三名学徒都跑进森林之后，她才转身看着松鸦爪。

"快点儿啦，你最擅长闻气味。火星走的哪条路？"

雷族族长和其他猫留下的气味开始减弱，但松鸦爪仍然能在各种森林气息中分辨出他们的气味，尤其是那种他不熟悉的部落猫的气味。

狮爪和冬青爪跟在松鸦爪后面在林中穿行。他说："我刚刚才意识到,溪儿现在闻上去已经完全是雷族猫了。你认为她回部落后能受欢迎吗?"

冬青爪瞥了他一眼:"那要看尖石巫师怎么说。急水部落好像是他说了算。"

"尖石巫师很霸道。"松鸦爪甩动着尾巴,"幸好火星不像他。"

他一直在前面带路,直到走出森林,听到湖边的波浪声。这里的猫味很浓。松鸦爪悄悄爬到一个斜坡顶上,用一只脚掌拨开一丛凤尾蕨,无声地用尾巴示意哥哥姐姐到他身边去。

凤尾蕨那边的斜坡下是一块空地。那里阳光灿烂,地面上覆盖着一层苔藓和落叶。透过树丛,能依稀看见湖的另一边。一阵微风穿透树叶朝着三名学徒吹来,因此,那些武士不大可能闻到他们的气味。

火星正盘坐在空地中央:"松鼠飞,你需要为狐爪找个临时老师。"

松鼠飞赞同地点点头,说道:"如果你没什么异议,我想请栗尾来担任。她从未带过学徒,正好体验一下。"

"栗尾会是个不错的老师。"叶池热心地补充说。

"好,回营地后,我和她谈谈。"火星转身看着黑莓掌,"我不知道,你们四个是否足以帮助急水部落。但我不能派更多的武士和你们一起去,我不能削弱雷族的实力。"

冬青爪推推狮爪,悄悄地说:"这也许是我们的好机会。"

"我已经想到了。"黑莓掌对火星说道,"我倒是想把当时和

你们三个现在可以出来了。

狐狸屎！我们不但去不了大山，恐怕还落下个给长老们捉虱子的下场。

如果你们不想被发现。狮爪，别把尾巴竖那么高。

鼠脑袋！

你们不应该偷偷跟来。

我们想和你们一起去！

你们为什么想去？

我们也想帮助部落猫。

而松鸦爪……嗯，松鸦爪可以帮忙治疗受伤的猫。

真是太感谢你了。

松鸦爪能做的远不止这些。

我同意叶池的看法，我相信我的孩子们没问题。

我们一起的几只族群猫都带去，就是第一次征程中，与我们一起到太阳沉没之地去找午夜的那些猫。"

狮爪推推松鸦爪，用耳朵示意。冬青爪顺着坡顶的冬青树丛尽可能地爬到前面去，这样，他们既不会被武士们发现，又可以听清楚他们说的每一句话。他们爬进树丛下的枯枝败叶中蹲伏下来，身上的毛已经乱成一团。火星又开始说话了。

"你说得有道理。"火星的目光落到黑莓掌身上，"与部落猫认识时间最长的猫，应该最愿意去帮他们。"

"要是能再见到鸦羽和褐皮，那就太好了。"鹰爪摆弄着自己的脚掌。

"武士守则中没有写到这一点。"火星继续说，"我不能请求任何其他猫同去，除非他们本来就愿意。而且，我不能代表其他族群的猫发表意见。但我相信，帮助急水部落是正确的。"

狮爪不解地问道："如果这是正确的事，武士守则中为什么不写呢？"

"守则中写到啦。"冬青爪坚持说道，"武士守则中说，武士可以帮助其他族群。火星显然认为急水部落就是另一个族群。"

"那就这样定了。"火星松了一口气，"松鼠飞，你去风族请鸦羽，黑莓掌去影族请褐皮。"

"没必要去河族了。"看到暴毛难过的眼神，狮爪也因为同情而感到浑身刺痛起来，"羽尾也是当时被选中的猫，可惜她死在山地了。我当时是和她一起去的，所以现在，由我来代表河族吧。"

空地上的武士们沉默了一会儿。松鼠飞轻柔地用尾巴抚摸着暴毛的肩膀，以示安慰。

"急水部落永远怀念羽尾。"无星之夜低声说。

松鸦爪突然抽搐了一下。狮爪心想，也许是尖利的小树枝戳到他了。

最后，鹰爪打破了沉默："这个计划很好。尖石巫师最熟悉你们这五只猫，因此可能更信任你们。"

"什么?"溪儿的耳朵紧贴在头上，转身盯着哥哥，"究竟是不是尖石巫师派你们来请我们回去的?"

无星之夜和鹰爪低头看着脚掌。鹰爪的尾巴尴尬地摆动着。"不完全是。"他嘀咕着，然后又补充说道，"但我相信，如果他知道你们去帮忙，一定会很高兴。"

"这简直太好了。"暴毛恨恨地说，"我又会被他宣布为死猫了!"

溪儿顶着伴侣的鼻子："求求你了，暴毛，我们必须回去支援。尖石巫师不会永远是巫师，但他死后，急水部落还要生存。"

"根据鹰爪和无星之夜所说的情况来看，我们没有多少时间了。"火星判断道，"黑莓掌，你马上去影族吧。"

"你们三个现在可以出来了。"松鼠飞站起来，盯着冬青树丛。

"完了。"冬青爪嘀咕道，"我们这下只能去给长老捉虱子，去不成山地了。"

"快出来吧。"松鼠飞重复道,"狮爪,如果你们不想被看见,就得把尾巴收好。"

狮爪浑身发烫,尴尬地从树丛中站起来,向斜坡下的母亲走去。"鼠脑袋!"冬青爪和松鸦爪垂头丧气地跟在他后面。

等三名学徒都站到面前之后,松鼠飞严厉地说:"你们不应该偷偷跟来。不请自来的猫可能听到不该听的事情。"

"但我们必须来听听!"狮爪脱口而出,"我们想和你们一起去。"

松鼠飞那双绿眼睛惊讶地睁大了,黑莓掌脖子上的毛也不安地直立起来。但狮爪欣慰地看到,火星正打趣地眨着眼睛。

"别对他们发火。"他告诉松鼠飞,"他们让我想起了某只姜黄色的猫,某只坚持不请自来,要跟着去太阳沉没之地的猫。"

松鼠飞有点恼火地颤动着胡须,尾巴猛力摆动了一下。

"你们为什么想去呢?"火星问道。

狮爪刚要说话,冬青爪便急忙轻轻地推了他一下。"我们也想帮助急水部落。"她大声宣布说,"我和狮爪都是好战士,松鸦爪……嗯,松鸦爪可以帮助治疗受伤的猫。"

"非常感谢。"松鸦爪嘟哝道。

"他不止会治疗。"叶池不动声色地说。松鸦爪惊得一跳,仿佛刚刚才发现巫医在他旁边。

"我说说我的意见吧。"叶池继续说,"我认为应该同意他们去。我们在森林里时,所有学徒成为武士之前,都要去'母亲嘴'看月亮石。我们好像已经摈弃那个传统了,但我认为,让学徒进

行一次远征,去看看本族领地以外的世界,是很值得的。"

听到叶池说出了他心中的渴望,狮爪感到一股暖流涌遍全身。"求求你们啦,让我们去吧!"他恳求道。

"我同意叶池的意见。"沙风说,"认识其他猫,看看他们的生活,这对我们没什么害处。"她和火星互相凝视了一会儿,仿佛打开了共同的记忆之窗。

"黑莓掌,你认为呢?"火星问道,"这不是一般的任务,对他们来说,可能非常艰巨。长途跋涉之后,马上又要投入战斗。"

黑莓掌的目光从三个学徒身上掠过,琥珀色的眼睛里充满赞许:"我相信我的孩子们能行。能带他们去急水部落,我很自豪。"

"即使我们还不确定是否会被接受?"暴毛低声提醒他。

黑莓掌没有回答。相反,他站了起来。"你准备好了吗?"他问狮爪。

"准备好什么?"狮爪既兴奋又紧张地问道,脚掌也刺痛起来。

"我们必须去影族,看看褐皮是否愿意和我们一起去。"黑莓掌建议道。

"太好了!"狮爪急不可待地跳起来,随即又突然停下来,意识到自己的行为像只小猫一样。"我期待能看一下褐皮的孩子,我和他们是亲戚。"他又补充道,并竭力让自己的声音听上去更庄重。

松鼠飞急速地看了叶池一眼,说:"冬青爪,你可以和我一起

去风族,看看鸦羽会不会和我们一起去。"

"我呢? "松鸦爪问道。

"你和我一起回空地去。"叶池对他说,"我们需要准备一些旅行药草。"

"如果其他猫同意去,"火星高昂着头说道,"就把他们带回石头山谷。你们早上出发。"

"好的。冬青爪,我们走。"松鼠飞摇摇尾巴,穿过森林,向风族边界走去。冬青爪急忙跟上,匆忙之中差点儿绊倒在地。

"狮爪,准备好了吗? "黑莓掌问道。

狮爪点点头。一想到马上就要越过边界去别族领地,他心中顿时充满了紧迫感。

"祝你们好运! "火星大声喊道。

狮爪等到冬青爪黑色的身影消失在沙沙作响的凤尾蕨中之后,才转身跟在父亲身后,跑进灌木丛。

驱逐之战
OUTCAST

第十一章

　　狮爪朝影族边界飞奔而去,风吹过他的皮毛,呼呼作响。他觉得,待在哪里都不能与此刻跟在父亲身旁奔跑相提并论,而且还有个重要的任务等在前方,这是证明自己的大好机会。能跟上黑莓掌的脚步,这令他很骄傲,虽然他的身躯还不是那么魁梧,可四肢已经长得和黑莓掌差不多一样长了。

　　"小心!"黑莓掌警告道,"前边有棵倒下的树。"

　　狮爪已经看到了那棵树皮光滑的灰色山毛榉。它是在上一个秃叶季的暴风雨中倒下的。一些干枯的树叶依然附着在树枝上,在微风中沙沙作响。狮爪向上跃起,后爪猛蹬,站到树干上,接着便在树枝间快速前行,直到从树干的另一侧跳下。

　　他想向黑莓掌展示自己的速度与力量。于是,当他们前进的路上出现一条小溪时,他绷紧肌肉,做了一次超远距离的腾跃,直接飞过溪流。他已伸长脚爪,瞄准对岸一块光滑平坦的石头。可就在他落地前的一刹那,一只乌鸦从前方的榛树丛中窜出来,嘴里发出警觉的刺耳叫声。

　　狮爪吓了一跳,后爪落地时不慎打滑,屁股和尾巴被冰冷的

115

溪水浸没,样子十分狼狈。"老鼠屎!"他骂了一句,抓住石头,把自己拖上岸。

黑莓掌已在岸边等着他了,琥珀色的眼睛里流露出调侃的神色。"镇定些。"他咕哝着,"你可不是河族猫,我们也没时间在这里钓鱼。"

"对不起哦。"狮爪低声说道。他用力抖干身子,闪烁的水珠四溅开来。

他们离影族领地越来越近。黑莓掌放慢脚步,在离那棵死去的山毛榉不远的边界处,停了下来。

"我们在等什么啊?"狮爪感到疑惑不解。

"影族巡逻队。"父亲回答他,"他们会陪同我们到影族营地。"

"可你明明知道营地在哪儿啊。"狮爪抗议道,并烦躁地伸缩着爪子,"我们又不是要袭击他们!为什么不直接去呢?"

"因为黑星不会这么认为。"黑莓掌换上一副严肃的表情,低头望着他,"我们来这里,是要带走他们的一名武士,踏上一段漫长而危险的征程,去帮助一群完全不同的猫。他可不喜欢这样,我能理解他。而且,武士守则要求我们,无论对敌对友,都不可以随意进入另一族的领地。我们就在这里等着吧。"他在边界旁雷族一侧坐下,用尾巴裹住脚掌,"如果你想做点儿什么,就好好梳理一下你那浸湿的毛发吧。我可不愿让影族以为,我们雷族的学徒连自己都照顾不好。"

狮爪的毛发已开始变干,凌乱地纠结在一起。他坐下来,彻底梳理自己，还伸长脖子扭到背后，整理每一寸皮毛。直到他把这一切都做完了，还是没有看到影族武士的影子。

"他们难道从来不在边界上巡逻吗？"他一边抱怨，一边轻轻拍打一只正在他鼻子旁边的草茎上爬行的甲虫。

黑莓掌已经蹲伏下来，脚掌舒服地缩在身子下边，两眼眯成一条缝，享受着阳光。"他们很快就会来的。如果你愿意，可以捕猎玩，不过，一定要确保待在边界的这一边。"

狮爪一跃而起，可他还没找到任何猎物，就听见不远处传来了皮毛从凤尾蕨上擦过的声音。一支影族巡逻队出现在拱形叶片间，阔步朝边界走来。狮爪认出了影族副族长黄毛，可另外两个——一只年轻的深褐色公猫和一只花斑母猫——他却从没见过。

那只年轻公猫一发现等候在领地边界的黑莓掌和狮爪，便大喊起来："入侵者！我就知道我闻到了他们的气味。"他毛发竖立，猛扑向前。

"蟾足，等等！"黄毛喝止住族猫，踏步朝黑莓掌走来，"你们想干什么？"

"你好啊。"黑莓掌没理会这位副族长充满敌意的口吻，向她礼貌地点点头，"黄毛，我们不是入侵，而是等着在影族猫的陪同下到你们的营地去。我们有话要和黑星谈。"

黄毛狐疑地动了动胡须："什么事这么重要啊，都不能等到森林大会？"

"是一个黑星必须现在就作出的决定。"

影族副族长甩了甩尾巴。狮爪心想,一定是因为黑莓掌不把事情的原委告诉她,她才这么生气。她不情愿地后退几步,摆摆头,示意黑莓掌和狮爪跨过边界。

"常春藤尾,快跑回营地,向黑星报告。"她下达命令,"蟾足,注意身后。我们得确保没有更多雷族武士潜伏在附近。"

她转过身,昂首阔步地向前走去。黑莓掌默默地走在她身旁。蟾足紧跟着狮爪,一直对他怒目而视。"最好别妄想伸出爪子。"他哼道。

"别担心,我不会的。"狮爪没好气地说。他想起了在营地时,桦落曾说起过大迁徙中和影族小猫们建立友谊的事。小蟾蜍就是他提及的名字之一,眼前这名年轻武士一定就是那只猫。

"你还记得小白桦吗?"他尽量用友善的语气问道,"他现在已经是桦落了。"

"那又怎样?"蟾足听起来还是充满敌意。

"今天早些时候,他还跟我们说起你们。他说跟你和你的同窝手足曾是很好的朋友。"

恍惚间,他仿佛从蟾足的眼中看到了一缕悲伤,可还没等他确认,那缕神情已消散无踪。

"那是大迁徙的时候。"蟾足说道,"如今的情形可不一样了。现在,我是一名影族武士。"

狮爪强忍着叹息。你为何不能既是一名忠诚的武士,又拥有许多其他族群的朋友呢?他不知道大迁徙时,在那个没有边界之分、大家无需仅仅因为居住地不同就相互为敌的日子,一切是否更加美好。

但他现在不能继续考虑这些了，因为黄毛正带着他们一步步深入影族领地。他们沿着一片空旷草地的边缘前行。狮爪的胡须抽动着。绿叶季节时，两脚兽会来到这片草地。在边界巡逻时，他曾见过他们铺在草地上的平坦的绿色兽皮，但从未走近看过。黄毛带他们经过两脚兽巢穴附近时，大家把身子贴近地面，藏在羊齿植物的阴影里。他嗅到了两脚兽的气味，可既没有听到两脚兽的叫声，也没有看到他们的影子。

空地渐渐地被抛在身后，狮爪惊讶地发现，空地另一边的林地看起来竟和雷族领地一模一样。但渐渐的，熟悉的橡树和山毛榉被高大阴暗的松树所取代，尖尖的枝丫间阴影重重。鸟鸣声在狭窄光秃的树干间怪异地回荡。羊齿蕨和荆棘灌木越来越稀疏。最后，覆盖在地面上的除了厚厚的棕色松针，就再没有别的了。

狮爪不由得打了个寒战，疾跑几步，跟上黑莓掌，走到他身旁。父亲向他投来同情的目光，用尾巴轻柔地拂过他的肩膀。

终于，狮爪渐渐嗅出前方飘来了许多猫的混合气味。黄毛带领他们爬上一小段斜坡，穿过了一道沿坡顶生长的灌木屏障。

"在这儿等着。"她命令道。

她走下一道缓坡，进入一个宽广的石头山谷。蟾足则留下来，眯着双眼，在一两条尾巴远的地方监视着两只来自雷族的猫。

"这就是影族营地吗？"狮爪低声问道，"看起来好开阔呀。"

"能有洞穴作庇护所，实在是我们的运气。"黑莓掌回答道。

狮爪再仔细打量,开始觉得,眼前这个族群的营地尽管外表大不相同,实则与自己的营地非常相似。黄毛已消失在一块巨石后的豁口里,他想那应该就是族长的洞穴吧。离那儿不远,是一片杂乱的荆棘丛,或许是学徒巢穴。一根枯死的圆木摆在外边,上面布满深深的抓痕,想必学徒们时常用它来磨爪子。

斜坡下的紫杉丛里忽然传来一声训斥,狮爪吓了一跳。"这块苔藓都湿透了! 要是让我抓到那个学徒,我一定把他撕碎。"

"长老巢穴。"狮爪低声对父亲说,"我想,无论哪个族群的长老们都是一个样。"

黄毛再次出现时,中断了他对影族营地的观察。黑星跟在她身后,从巨石后的豁口中走出来,跃上山谷中间的一截树桩。黄毛用尾巴向蟾足示意,棕色公猫便领着黑莓掌和狮爪走下斜坡,站到影族族长跟前。影族武士们好奇的目光让狮爪浑身不自在,许多猫正交头接耳,看上去并不友善。

森林大会的时候,他曾见过黑星,但从没离他如此之近。他紧张地吞了口唾沫,深知这只白色公猫是一名非常强大的武士,他那巨大的黑爪只需一掌,就能拍碎一只猫的耳朵。狮爪不知道万一黑星攻击他们,黑莓掌能有什么办法。他是否够强壮,够灵巧,可以拼出一条血路,逃离对手的领地呢?

不过此刻,虽然看不出黑星有多好客,但他似乎还算平静。"黑莓掌,"他说道,"你到我们的领地来做什么? "

"我来是想和我的妹妹褐皮谈谈。"

"如果她不想和你谈呢? "黄毛语调尖锐地说。

黑星扬了扬尾巴，告诫副族长保持安静。"你想和她谈什么？"

狮爪心里翻腾起来，同时，黑莓掌已经开始向影族猫讲述鹰爪和无星之夜的出现，以及突然降临在急水部落的麻烦。然后，他继续说道："火星已经答应让我和松鼠飞重回山地，帮助部落猫。我们认为，应该邀请褐皮和鸦羽一起去。我们共同经历过第一次征程，他们对部落十分了解。"

"什么？"没等黑星作出反应，黄毛便大喊起来，"你来这里，居然是想带走我们的武士？褐皮当然不会去。看在星族的分上，她现在有孩子了！"

黑星再度用尾巴向她示意。"你这样会让这些雷族猫觉得我们不想合作。"他对黄毛说道，"我们不如问问褐皮的意见吧？由她来决定。"

狮爪眨巴着眼睛看看父亲，但黑莓掌避开了他的目光。显然，黑星觉得褐皮会选择留下来，与族猫及孩子们在一起。

黑星从树桩上跳下来，带领他们穿过营地，走向远端的一处黑莓丛。"这是育婴室，进去见她吧。"

黑莓掌点头致谢，俯身钻过狭窄的入口。狮爪跟在他身后，黑星则留在育婴室外，这让他舒了口气。

影族的育婴室比雷族石头山谷里的那个更大，但地面同样覆盖着舒适的苔藓，同样温暖，同样充满乳汁的味道。等狮爪的眼睛开始适应这里昏暗的光线后，他看见一个模糊的身影，是一只肚子很大的白色猫后，正蜷伏在铺满苔藓的窝里。两只雷族猫

的闯入令她不安地竖起了耳朵。

"黑莓掌！"声音从育婴室深处传来。狮爪听出是褐皮。她抬起头，眯起眼睛："你怎么会在这里？"

"我们是来看你的。"黑莓掌回答说，"我有件事要问你。"

不等他多说，褐皮的孩子们便从窝里爬了出来，蹦蹦跳跳地奔向黑莓掌和狮爪。

"你是谁啊？"最大的那只虎斑公猫探出身子，用胡须摩挲狮爪的鼻子。

狮爪痒得赶紧往回躲，强忍住才没打喷嚏。"我叫狮爪。我是一名学徒，来自——"

父亲悄悄碰了碰他，打断了他的话。"我们是雷族猫。"他回答道。

"噢，难怪你们闻起来那么恶心！"一只深黄色的小公猫皱起鼻子。

没有你们一半恶心！狮爪心想。

第三个是一只灰色母猫，她蹦向狮爪，扑到他身上。这大大出乎狮爪的意料，他失去平衡，侧身倒在苔藓上。

"我们是最好的武士！"灰色小猫高喊道，"来吧，让我们保卫营地！"

另外两只小猫立刻扑到狮爪身上。那一瞬间，他不明白影族猫是不是都这么充满敌意，甚至连小猫都想驱逐闯入者。接着，他便意识到这不过是在嬉戏罢了。小猫的爪子都缩在脚掌里，眼睛里流露出的并非怒火，而是恶作剧的调皮神色。他开始回击，把小猫从身上推开，努力站起来，抖落身上的苔藓。

"可不能这样欢迎客人哦。"褐皮训斥道，"黑莓掌，这些是我的孩子——那只虎斑猫是小虎，姜黄色的是小火，想在耳朵上挨一巴掌的那只是小曙。"语毕，她瞪着那只小母猫。小曙正趴在狮爪的尾巴上，仿佛那是她的猎物。

小虎！狮爪呆住了。难道褐皮希望，她的儿子能成为虎星那样伟大的武士吗？这只小猫会从祖先那里得到狮爪自己经历过的那种训练吗？

"孩子们，规矩点儿！"褐皮警告小猫们不得放肆，"黑莓掌，到这里来，告诉我到底有什么事。"

小曙显然没把母亲的警告放在心上，狮爪不得不想方设法地摆动尾巴不让她抓住，以至于没能听到父亲对褐皮的解释。不过，听到褐皮说"我去"时，他兴奋地停了下来，尽管随之而来的是尾巴上的一阵刺痛。

这只虎斑母猫从窝里爬出来，眼里闪着光。三只小猫不再追逐狮爪，而是盯着母亲。

"你是什么意思啊？"小虎问道。

"你不会丢下我们不管吧？"小曙呜咽起来。

"我必须和黑莓掌离开一段时间。"褐皮告诉他们，"你们还记得我讲过的故事吧，就是关于那些住在一道咆哮的瀑布后的山地猫的故事？没错，现在那些猫需要我的帮助，所以我必须去。"

"那我们能和你一起去吗？"小火央求道，"求求你啦。"

"我们一定能帮上忙。"小虎补充道。

"不,你们还太小。"褐皮走向三只小猫,用鼻尖挨个触碰他们,"听话啦,乖乖吃新鲜猎物吧,月亮出现两次同样的形状以后,我应该就能回来了。"

"我会照看他们的。"阴影中的那只白色母猫对褐皮说。

"谢谢了,雪鸟。"褐皮对孩子们补充道,"你们瞧,雪鸟会照顾你们的,她会告诉我,你们有没有淘气。"

"我们不会淘气的。"小虎向母亲保证。

"哪怕一点儿也不好玩,我们都不会淘气。"小曙低声说。

褐皮用尾巴温柔地拂过女儿的耳朵:"那就再见吧。"

"再见。"小猫们眼睛睁得大大的,一起说道。

褐皮率先走出育婴室,黑莓掌紧随其后。狮爪停下脚步,扭头看着小猫。再见了,弟弟妹妹们,他心里默念道,然后跟着父亲走进空地。

育婴室外,黑星和褐皮面对面站着。

"你什么意思啊?难道你打算去?"族长问道。

"你说过,由她来决定。"黑莓掌提醒他。

黑星抽动着尾巴,却没说什么。

"我们早该料到会是这样。"黄毛愤怒地说,"这只能说明,她不是一只忠诚的影族猫。"

褐皮弓起背反驳道:"你敢说我不忠诚!"

"褐皮。"名叫花楸掌的武士来到褐皮旁边,用姜黄色的口鼻压住她的肩膀。她斜靠向他,身上的毛这才开始平顺下来。狮爪记得,花楸掌是她的伴侣,是孩子们的父亲。

"说褐皮不忠诚简直太荒谬了。"他对黄毛说,"即使你已经忘了,可我还没有忘记部落猫为我们做的一切。他们值得我们帮助。"他低下头,温柔地舔着褐皮的耳朵,"你愿意去,我为你感到自豪。"他说,"别担心孩子。我会照顾他们的。"

褐皮发出了轻柔的呢喃:"谢谢了,花楸掌。"她又转向黑莓掌,更轻快地问道,"我们这就走吗?"

狮爪觉得父亲显然有些吃惊,好像根本没料到,这么容易就得到了她的同意。

"不能浪费时间了。"褐皮一语点明,"尤其是要去山地,我们还得经历漫长的路途。"

"是的。"黑莓掌低声说道。接着,他又对影族族长说:"谢谢你,黑星。我相信,星族会感谢你今天所做的一切。"

黑星点点头,看上去有些尴尬。狮爪很清楚,他并没有料到事情会是这样。黄毛只好恼怒地哼了一声,挥舞着尾巴走开了。

与黑莓掌和褐皮在森林里奔驰时,兴奋再次袭遍狮爪全身。他深信,松鼠飞和冬青爪在风族的行动一定也取得了成功。所有族群的猫正联合起来,前去帮助急水部落!这当然比只是去造访山地更美妙。或许,他会成为另一个不可思议的故事的一部分,然后总有一天,族群猫会把这个故事讲给孩子们听,就像讲述大迁徙的故事那样。

WARRIORS
猫武士

第十二章

冬青爪站在小溪岸边,不远处就是过小溪的踏脚石。这条小溪正是雷族与风族领地的边界。高沼地刮来的风将她的毛发吹向一边,同时带来了猫、兔子和荒野劲草的气息。

她身旁,松鼠飞也在等待,尾巴尖不住地颤动着。冬青爪能够理解母亲的不安。经历了那次风族小猫失踪的麻烦之后,风族边界依然是一片敏感区域。

她的思绪闪回到山洞和汹涌澎湃的地下河。她和其他学徒拼尽全力才让自己和那些小猫活了下来。冬青爪希望,那些山洞可以长时间隐藏,不再留下产生误会的隐患。

“他们来了。”松鼠飞嗅到了气息。

很快,一支风族巡逻队出现在山坡上,朝他们这边走来。是裂耳、白尾和风爪。冬青爪心里一紧,因为那名风族学徒抛下族猫,朝她冲了过来。他的毛直立着,显然已准备好投入一场边界冲突。不过,他认出冬青爪后,他的脚步犹豫了。

“噢,是你啊。”他在河对岸停下来,低声说道。

“是啊。”冬青爪无法忘记,他在山洞时多么让猫讨厌,一直

126

在抱怨,一直与她争吵,"我又回来了。"

松鼠飞用尾巴拍了拍她的耳朵。她不由得退了一步。

"风爪!"白尾呼喊着,她和裂耳已经追上了学徒,"离开那里!"

风爪龇出牙齿,发出一声咆哮,然后低下头,嘴里嘟哝着什么走开了。

"你们为何在这里?"裂耳冷冷地问道,但声音里没有敌意。

"我们得和鸦羽谈谈。"松鼠飞解释道。

裂耳和白尾交换了一个怀疑的眼神,身上的毛发开始竖立,颈毛也蓬松开来。

"谈论与我们去太阳沉没之地有关的事。"

"那是很久以前的事了!"裂耳大吼道。

"鸦羽的记性没那么差。"松鼠飞针锋相对,"他不可能忘记那件事。"

冬青爪不明白,为什么风族猫会从保持克制变成充满敌意,为什么母亲也开始尖锐地回应他们,为什么一提到鸦羽,这些风族猫就变得如此敏感?

"我不能就这样去把鸦羽叫来。"白尾说道,"你得先和一星谈谈。"

"好吧。我能理解。"松鼠飞轻巧地踩着踏脚石跃入风族领地,从裂耳身边经过时,她狠狠地瞪了他一眼。冬青爪过河时则谨慎得多,湍急的河水从她脚掌边的一株鼠尾草旁流过,泛起一串气泡。

　　她跟着母亲和风族武士上了山。风爪故意放慢步子,直到和她并肩前行。"你来这里做什么啊?"他悄悄问她,"是来侦查我们营地的吗?"

　　"别胡说。"冬青爪回答道,"我们能从你们那讨厌的营地得到什么?我们来,是要和鸦羽谈谈,仅此而已。"

　　"到底什么事呀?"风爪想探出虚实。

　　"这跟你无关,鼠脑袋!"

　　风爪生气地眯起眼睛:"但鸦羽是我的父亲。"他开始反击,"他——"

　　"风爪。"裂耳回头望了望,用尾巴招呼学徒,"到我身边来。"

　　风爪恼怒地嘶鸣一声,但还是加快了步伐,跟上武士们。

　　"你的训练进行得怎么样啦,风爪?"松鼠飞问道。

　　"不怎么样。"白尾不等学徒回答,便抢先说道,"他带领一支学徒巡逻队到我们领地的远角,查看是否有狗回到那里。当然,他并没有得到过允许,甚至没有任何一名武士作后援。"

　　"我们只是想要去……"

　　"去自寻死路。"裂耳打断了他的辩解。

　　冬青爪听说过狗回到森林杀死迅爪的故事,也看到过它们留在亮心身上的那些可怕伤痕。如果风爪觉得几个学徒就能对抗一群狗,还能活下来,那他一定比她想象中的还要笨。

　　"后来,就是你们挑起的那场与河族巡逻队的战斗。"裂耳继而愤愤地尖声说道,"他们没有入侵,没有盗取猎物,一星并不认为,必须为了你们惹出的麻烦而向雾脚道歉。"他长长地叹了口

气,向松鼠飞补充道,"风爪成为武士前,要学的东西还很多。"

老武士刚转过头去,风爪便生气地瞪着他们,嘴里念叨着些什么,冬青爪没听清。

白尾和裂耳带队沿斜坡走了很久,来到一处荆豆灌木屏障前。他们压低身子钻了过去,冬青爪跟在后边,感到荆棘在她皮毛上擦过。钻出灌木丛后,她发现,风族营地已展现在自己眼前。

一条陡坡向下延伸,直到一处自然形成的凹坑,坑里点缀着荆豆和黑莓。冬青爪努力眨着眼睛,想弄清这里的布局。这个营地比她想象的更为暴露,不过,坑底有许多能够栖身的石头山谷。她嗅了嗅空气,想从气味中分辨出各种猫的居住地。从一个看似废弃獾巢的深洞中传来了刺鼻的老鼠胆汁味儿,那里一定是长老们的洞穴,他们总是用这个驱除身上的虱子。她还从一块巨石上的裂缝中闻到了药草的芳香,意识到这里一定是青面的巫医巢穴。那个飘出温暖乳香的荆豆丛应该就是育婴室。

"去给长老们拿些新鲜猎物。"白尾命令风爪,打断了冬青爪的思绪。白尾朝松鼠飞挥动尾巴,继续说道:"跟我来吧。我们去看看一星在不在他的巢穴里。"

白尾跑向前方,冬青爪跟在母亲身后跳下斜坡。没等两只雷族猫下到坑底,鸦羽便从另一侧的灌木丛中闪身出来,嘴巴里叼着一只兔子。看到来访者,他愣了一下,然后轻快地跑向猎物堆,把兔子放下。

松鼠飞朝他走去。他转身对着她,灰黑色的毛直立起来。"你来这里做什么?"他惊奇地问道,"出什么事了吗?"

"没有。"松鼠飞回答道。冬青爪不明白鸦羽为什么生气。难道他身上钻进了蚂蚁？"是的，有些事，但至少跟族群无关。"

松鼠飞似乎有些纠结，于是冬青爪走上前来。"急水部落需要我们的帮助，"她解释说，"去过太阳沉没之地的猫必须再次前往山地。"

鸦羽面露惊讶，冬青爪心想，自己或许太直白了。"他们希望学徒们也一起去，是吗？"他大吼起来。

松鼠飞用尾巴深情地拂过他的肩膀。"鸦羽，我们都不能埋怨学徒们踏上这次征程。"没等鸦羽回答，她就继续说道，"鹰爪和无星之夜——你还记得他们吗？他们来到我们的营地，寻求暴毛和溪儿的帮助。急水部落正遭受一群入侵者的威胁，这群猫想占领他们的捕猎地。我们——我是说我和黑莓掌——觉得应该去帮他们。"

鸦羽沉吟良久。冬青爪读不懂他的表情。最终，他问道："这跟我们有什么关系？"

"大迁徙的时候，部落猫帮助过我们。"松鼠飞说。

"可羽尾为他们丢了性命！"鸦羽蓝色的眼睛里喷出火焰，"我们不欠他们的。"

羽尾是只河族猫，是暴毛的妹妹，死在第一次征程中。现在，似乎没有其他猫觉得，她的死能成为不去帮助部落的理由。为何鸦羽对此带着如此强烈的个人感情呢？羽尾甚至不是他的同族。

"羽尾原来就愿意帮助部落。"松鼠飞冷静地回答，"她会再度帮助他们。她的死并非部落的错，要怪就怪尖牙。"

冬青爪打了个寒战，把爪子深深插入粗糙的荒草中。从冬青爪还在育婴室起，松鼠飞就一直实事求是地跟她讲那些故事。她的母亲和父亲似乎算得上传奇。鸦羽也是个传奇。冬青爪很难把面前这只疑心重、脾气坏、皮包骨头的猫和勇敢的武士、星族的选择联系到一起。难怪风爪脾气暴躁呢，原来都是从他父亲那里继承来的！

"你好啊，松鼠飞。"

冬青爪转过身，看到白尾回来了，与他一起的还有一星和灰脚。说话的是一星，他高昂着头，扬着尾巴朝松鼠飞走来。

"你好，一星。"松鼠飞点头致意。

"欢迎来到我们的营地。"风族族长听上去很友好，不过，从他琥珀色的眼睛里可以看出些许惊讶的神情，"我们能为你做些什么吗？"

松鼠飞更详细地介绍了部落猫到雷族寻求帮助的经过。其他风族猫渐渐聚了过来，鸦羽依然满脸不悦。冬青爪看到了石楠爪，冲她点了点头。风爪也重新出现，与学徒们站在一起。

一星眯起眼睛说道："那他要离开很长时间，也许一个月，甚至更久。"

"我还要教学徒呢。"鸦羽提醒他。

"是的。不过，我还是觉得你应该去。"一星说道，"急水部落在大迁徙时给过我们食物和庇护。没有他们的帮助，许多猫都会死，我们或许也永远不会找到湖边这个家。"他不顾鸦羽试图打断自己的话，继续说道，"而且，在高星生前最后的那段日子里，

山地猫对他很好。现在帮助他们,就是对高星的尊敬。"

鸦羽似乎很吃惊:"那石楠爪的训练怎么办? "

"白尾能暂时当她的老师。"一星作出决定,"她将正好没有学徒,因为我想让风爪和你一起去,这应该是个不错的主意。"

噢,不! 冬青爪心想。也许你厌烦他,可我们也不想要他,拜托!

"什么? "风爪喊了出来,眼睛沮丧地拉长了。

"你太幸运了!"石楠爪羡慕地插话说,"要是能让我去,要我献出尾巴都行。"

"好吧,可我不想去! "

"别担心,你会回来的。"冬青爪厉声说道。

"你怎么知道啊? "风爪的耳朵耷拉下来,尾巴也垂了下去,"我想,族猫们都恨不得摆脱我呢。"

他的话听起来是那么的可怜,冬青爪忽然对他产生了一丝怜悯,不过仅仅持续了一瞬间。过去一个月中,风爪已经两次违反武士守则,是该让他受一两次打击了。

鸦羽朝松鼠飞靠近了几步。"去不去由我说了算。"他瞟了一星一眼。冬青爪不知道他是不是在挑衅族长,不过一星没有回应。"而我——我决定去。我愿意再次站在羽尾倒下的地方。"

"那风爪呢? "松鼠飞问道。

鸦羽叹了口气:"是啊,既然一星下达了命令,我想他也必须去。"

风爪沉着脸瞟了父亲一眼,开始用爪子撕扯草地。冬青爪想

起了自己的父亲和母亲。她很高兴，每当自己希望尝试新事物时，他们都会支持。而鸦羽和风爪的相处看起来根本不是这样。我多少能理解一点儿，她想，因为我已经见识过鸦羽几次了。他的确有些……有些古怪。

"你希望鸦羽和风爪现在就和你一起动身吗？"一星问道。

"是的，请您允许。"松鼠飞回答说，"我们计划今晚都回到雷族营地休息，明天早晨出发。叶池正在准备旅行药草。"

"我想先和朋友们道别。"风爪抗议道。

"没时间了！"鸦羽呵斥道。

"我会替你跟他们道别的。"石楠爪冲过来，用鼻子碰了碰风爪的肩膀，"别担心啦。等你回来，一定会有很多不可思议的故事告诉我们。"

风爪却似乎没有因此而高兴起来。

一只黑色母猫从风族猫群中走出来。冬青爪认出，是鸦羽的伴侣夜云。她用皮毛蹭了蹭鸦羽的毛发："保重。"

鸦羽飞快地舔了舔她的耳朵，但冬青爪注意到，他的眼睛其实凝视着远方。

松鼠飞向一星点点头表示感谢。接着，鸦羽带队走上山坡，离开了风族营地。直到他们穿过高沼地，他还是一脸怒容。风爪一路上始终闷闷不乐，即便冬青爪想对他表示友好，他也不肯跟她说话。

反正我也没觉得这趟征程会多有趣，冬青爪沮丧地想。

第十三章

黎明的寒气让松鸦爪冷得直打战。旅行药草的味道萦绕在他周围,非常浓烈,甚至掩盖了他身旁正在巫医洞穴忙碌的叶池的体味。他打了个哈欠,想起昨晚的梦。梦里全是奇怪的气息、犬牙交错的岩石、陌生的猫,以及战场上交手的武士的尖叫声。他已记不清自己曾多少次从梦中惊醒,每一次心脏都剧烈地跳动,直到意识到他正蜷伏在自己那个用凤尾蕨编织的窝里。对他来说,梦境是毫无意义的,他不耐烦地抽动着尾巴。如果我什么都弄不明白,做梦又有什么用呢?

空地上的猫陆陆续续起床了,轻柔的声响透过黑莓帘传进来。在松鸦爪的印象中,石头山谷还从没这么拥挤过,既有风族猫,又有影族猫,还有急水部落来的访客。幸好昨晚天气暖和,有些猫可以睡在空地上。风族猫对此特别习以为常。松鸦爪想起,当他发现风爪和他父亲一起到来时的沮丧心情,爪子不由得伸了出来。

我无法忍受那只自大又讨厌的猫!

他永远也忘不了,他们被困在地下时,风爪是多么无能。难

怪地洞会被封死,害得松鸦爪再也找不到岩石和落叶。面对风爪这样一只既不讲道理,又不尊重别人的猫,还能期望什么呢?

"松鸦爪,你又在做什么白日梦啊?"叶池的声音打断了松鸦爪的思绪,"你可以开始把这些药草拿出去,给那些要离开的猫了。"

"你不想去做这件事吗?"松鸦爪很惊讶。部落猫也许希望,能有巫医向他们解释吃的是些什么。

"不。"叶池似乎有些焦虑,"我得把这些药草再检查一遍。"

撒谎!松鸦爪心想。准备旅行药草有什么好大惊小怪的。但他没有反驳叶池,而是衔着第一批药草,走向空地。

嘴里药草的味道使他更难辨别其他猫的方位,不过很快,他还是在武士巢穴外找到其中的几只:鸦羽、风爪、松鼠飞和褐皮。

松鸦爪走到他们中间,把药草放到鸦羽的脚边。"这是旅行药草。"他说。

"谢谢。"鸦羽好像有些紧张,这似乎超出了对旅程的本能期待,松鸦爪不知道这是怎么回事。天知道那些奇怪的风族猫脑子里在想些什么!

回到自己的洞穴,他忽然冒出个想法,打算在风爪的旅行药草里偷偷掺和些东西。也许可以加点儿蓍草叶。旅程的第一段应该是在风族领地的湖边。如果风爪在那个时候病了,他们将不得不把他留下。

否则,他也许会耽搁其他的猫。松鸦爪掂量了一下:万一被其他猫发现自己的所作所为,会受到什么惩罚呢?最后,他认定

不值得冒这个险。

他继续分拣药草。很快,部落猫和暴毛、溪儿一起出现了,他们加入到武士洞穴旁的猫群中。

"这是什么啊?"当松鸦爪把属于鹰爪的药草放在他面前时,鹰爪问道。

"旅行药草。"松鸦爪回答说,"它们将使你更加强壮,你也不会感到太饥饿。"

"你确信吗?"松鸦爪脑海里浮现出护穴猫怀疑地用一只爪子挑起药草的画面,"我从没听说过有这种东西。"

"尖石巫师也没听说过。"无星之夜附和道。松鸦爪听到,她对着那一小堆叶片用力地嗅闻着。

"看在星族的分上!"他大喊起来,"只管把它们吃了。我们又没给你们下毒。"

"药草是有益处的。"暴毛说道,松鸦爪感到,这名灰毛武士用尾巴轻轻拂过他的口鼻,"它们会让旅途变得更加轻松。"

"如果你能肯定的话……"鹰爪语气里依旧充满怀疑,不过还是开始舔食药草。"真苦啊。"他抱怨着。

松鸦爪叹了口气,继续分发药草,直到分配给每只猫,除了他的父亲。

"黑莓掌呢?"他口里塞满叶片,嘟哝着问松鼠飞。

"我想他去和火星说话了。"松鼠飞回答说,"如果你同意,我把这些药草给他带去吧。"

"不,还是我来吧。"松鸦爪的毛发竖立起来。他放开步子穿过营地。我能爬上高岩,我不会摔下来的! 他小心翼翼地爬上光滑的岩石,每一步都让身子紧贴崖壁。刚一爬上高岩,火星说话的声音便从洞穴里传来。

"你将至少离开一个月,黑莓掌。我们要决定在你离开的时候,谁来接替副族长的位置。"

松鸦爪在洞穴外停下,身体靠近岩石,以免被洞里的猫看到。

"显然,灰条最适合。毕竟,他十分清楚副族长的职责。"

松鸦爪沮丧地抽了抽胡须。父亲之所以能成为副族长,是因为当时所有猫都以为灰条死了。当那名灰毛武士出其不意地回来时,有些猫便希望黑莓掌能让位,但灰条不希望那样。他说,自己对族群新家的管理不具备足够的经验,而且在经历了那段征程后,他也累了。可现在,一切都不一样了。如果灰条现在接替副族长的职位,等到黑莓掌回来,情况会如何呢?松鸦爪紧咬牙关。难道父亲看不出,他有可能失去他在族群中的地位吗?

"好吧,如果你没意见的话,我去告诉他。"火星如释重负。

洞穴里传来脚步声,他们似乎起身了。松鸦爪赶紧找到一块松脱的石子,用脚掌踢开,好让他们以为自己刚到。他走到洞口,叫道:"火星? "

"进来吧。"族长回答。

"是我的旅行药草吗? "黑莓掌问道,"谢谢了,松鸦爪。所有猫都准备好了吗? "

"差不多吧。"松鸦爪回答说,"我得马上回去找叶池,看看她

松鸦爪，你可以把那些药草分发给准备出发的猫了。

不了。我得再检查一遍药草。

你不想自己去吗?

这是旅行药草。

这些古怪的风族猫心里到底在想什么?

谢谢你。

它们会让你更加强壮,而且也不会觉得那么饿。

你确定吗?我以前从没听说过这样的东西。

看在星族的分上,只管把它们吃了。我们又没给你们下毒。

是否需要我做点儿别的什么。"

说完后，他便仓促地点点头，退出洞穴。他顺着岩石爬下去，准备去找狮爪和冬青爪，想在他们还能私下聊天的时候，把灰条将要接替副族长的消息告诉他们。可回到空地上时，哥哥姐姐正叼着新鲜猎物从他旁边经过，朝长老巢穴走去。冬青爪和他打招呼："嗨，松鸦爪！"不过，他们都太忙了，根本没有停下来。

松鸦爪异常失望地回到自己的洞穴。叶池依然在那里，尽管除了松鸦爪，所有将要出行的猫所需的药草都已分发完毕，可她还在无聊地摆弄着叶片。

"你在做什么啊？"他问道，"你打算让我随身带些药草吗？"

"什么？"叶池吓了一跳，好像完全没注意到他已经回来，"噢，不——不需要。每天都带着药草是件讨厌的事情，而且你也不知道会需要什么。"

"可我不知道山地都生长着什么药草。"松鸦爪表达出了不同的意见。

叶池的一只脚掌在地上抓挠着，尽管她试图掩饰这个动作，但松鸦爪能觉察出，由于某种原因，她非常紧张。"旅途的大多数时间，你并不在山地。"她告诉他，"等你到了部落，尖石巫师会向你介绍山地的药草。你能从他那里学到很多东西。"

希望如此吧，最好别全是关于药草的。

"来吧，松鸦爪，别傻站在那里。把你自己的药草吃掉。"叶池将剩下的药草推给他。松鸦爪感到，老师的爪子从自己的脚掌上擦过。"黑莓掌希望很快就能出发。"

松鸦爪舔食起一大口药草。"真难吃。"他嘟囔着。

"一上路,你就会为吃了它们而高兴的。"叶池严肃地说道,"能够参加这次旅程,实在是你的幸运。"

幸运?难道是指我是瞎子,本不能参加旅程吗?松鸦爪心里很不服气。不过他没说什么,而是努力咽下了最后一点儿苦涩的叶子。

"你会发现山地是多么迷人。"叶池继续说道,语气已经恢复了常态,"你要好好把握住机会,尽可能从那里的猫身上学到东西。"

我就是那样打算的,松鸦爪对自己说。不过,他还是怀疑,自己所指的东西跟老师建议的并不是一回事。噢,他会认识新的药草,了解新的生存方式,但他真正希望了解的,是部落猫怎样在山地定居下来,怎样同岩石和那些在月池附近留下脚印的远古猫取得联系的。不过,他当然不会将这些想法告诉叶池。

"松鸦爪,"空地上传来黑莓掌的声音,"准备好了吗?"

"来了!"松鸦爪收回思绪,朝黑莓帘外扫了一眼,然后转身问叶池,"你不去道别吗?"

叶池长叹了一口气。紧张的气氛笼罩着她,如同绿叶季的风暴。"我——我已经说过再见了。"她低声说道。

"好吧。那再见吧。"松鸦爪知道自己该动身了,可有一股情绪令他无法挪动脚步。叶池大惊小怪的时候,他会觉得她非常讨厌,但他又无法无视她那可怜的情感,哪怕他并不明白那种感受。他快步走向她,将鼻子埋在她的毛发中。"再见啦。等我回来,

一定会给你讲很多有趣的事情的。"

"再见，松鸦爪。"叶池的声音在颤抖。他感到她的舌头舔过自己的耳朵。"保重。"

"松鸦爪！"空地上再度传来黑莓掌的呼唤。

"我必须走了。"松鸦爪说完，便冲出黑莓帘。终于摆脱叶池奇怪的激动情绪了，他顿时舒了口气。奔向空地时，他闻到了松鼠飞的气味，感到她擦肩而过，跑进巫医巢穴跟她妹妹说话。

希望她知道是怎么回事，因为我并不知道，松鸦爪寻思着。

要启程的猫已经在石头山谷中央集合。松鸦爪发现了冬青爪和狮爪，便蹦蹦跳跳地朝他们走去。

"怎么这么晚啊？"冬青爪问道，"我们都在等你耶。"

"我不是来了吗？"松鸦爪反诘道，"我有秘密要告诉你们。"

太阳升起，驱散了黎明的寒气。松鸦爪享受着阳光从树叶间投射到他身上的温暖。真是个适合出行的早晨：天气凉爽，空气清新，稍后还会有温暖的阳光。

武士洞穴里传来了声响，原来是族猫出来送别要出远门的猫们。学徒巢穴里也传来一阵轻快的脚步声，松鸦爪听到冰爪说："这不公平啦！我也想去。"

"也许下次就轮到你了。"白翅好心地说。

一声响亮的呵欠传入松鸦爪的耳朵，云尾的体味随之飘来。"你怎么还不走啊？"他咕哝着，"那样的话，大家都能再多睡会儿。"

"想都别想！"旁边的尘毛厉声说道，"你和我，还有沙风一起

去黎明巡逻。"

"老鼠屎！"云尾低声说道。

松鸦爪嗅到了火星的气味，听到了他的脚步声。果然，火星踏步走进准备出发的猫群中。灰条跟在他身后。松鸦爪能感觉到，这名灰毛武士琥珀色的双眼中正闪耀着光芒。

就好像他已经当上副族长了似的！

"大家再会。"火星说道，"愿星族的光芒照亮你们的前行之路，愿你们都能平安回家。"

即将启程的猫群中，顿时弥散开一种紧张的氛围，估计族群猫和部落猫正相视而立，鼓起勇气，等待迈开征途的第一步。松鼠飞也回来了，她跑到黑莓掌身旁。

"准备好了吗？"黑莓掌问道。

"是的，准备好了。"暴毛坚定地回答。

松鸦爪静静地站着，让石头山谷里所有的气味和声音浸入皮毛——刚离开的那个洞穴里的药草味、育婴室里的乳香、地上灰尘的味道、同族伙伴们的声音，以及风吹过树叶的沙沙声。

如果再也回不来了怎么办？星族会事先警告我的，对吗？如果有猫将要死去，他们能得到提醒，不是吗？

"松鸦爪！"荆棘通道里传来了冬青爪的喊声，"发什么呆啊？所有猫都动身了。"

松鸦爪跳起来，冲过空地，跟着姐姐钻进通道，进入了森林。

第十四章

松鸦爪在树丛中前行，斑驳的光影投射到他身上。狮爪走在他旁边，冬青爪一会儿蹦蹦跳跳地抢前几步，一会儿又回转身和哥哥弟弟走在一起。空气中充满了鸟鸣声和沙沙的树叶声，灌木丛下猎物的气味也很浓烈。

三名学徒走在出行猫群的后面。黑莓掌和暴毛、溪儿在最前边带队，紧随其后的是鹰爪和无星之夜。凭借嗅觉，松鸦爪断定，松鼠飞和褐皮就在他们前边一点点。

"小虎已经开始学习狩猎时的蹲伏动作了。"褐皮说道，"但我认为，只要小曙听从老师的教导，并勤加练习，她将成为最棒的武士。可现在她谁的话都不听。"

"所有的孩子任性起来都不听话。"松鼠飞告诉她，"你会看到他们成长为优秀武士的。"

孩子？松鸦爪心想。无聊透了！

他斜斜耳朵，希望听到些更有趣的对话，可听到的只是鸦羽在教风爪山地捕猎的最佳方式。这两只风族猫肩并肩走在一起，与其他猫保持着一定的距离。松鸦爪能感觉到，风爪对被迫参加

这次征程颇为怨恨。我甚至觉得他和他父亲都不喜欢对方。他这样认定。

"嘿，快看啊！"狮爪大喊起来，"我敢打赌，我能抓到那只蝴蝶！"

"我保证你抓不到。"冬青爪回应道。

"你就看着吧！"狮爪猛地跃起，然后落回森林地面。

"没抓到吧？"冬青爪哈哈大笑起来，"我早就告诉你了！"

松鸦爪听到，凤尾蕨上传来更沉重的脚步声，母亲的气味随之飘了过来。

"你们三个在这里做什么呢？"她批评道，"你们这些孩子，难道是第一次走出营地吗？这是一趟严肃的征程，你们要保存体能。以后会用得上的。"

"对不起啦。"狮爪低声说道。

一想到风爪那副幸灾乐祸的表情，松鸦爪就差点儿骂出声来。他知道，那个风族学徒一直在听他们的谈话。

只要他敢说一个字，我就把他的耳朵撕烂！

但是，风爪很识趣地闭紧了嘴巴。

没过多久，松鸦爪就嗅到了溪水清爽的味道。身上愈发强烈的阳光告诉他，他们已经离开了树木的庇护。他意识到，众猫已经来到了湖边，那一刻，他很想伸出爪子，去找岩石做过记号的那根树枝，可他无法把树枝一路带到山地。

只能把它抛下了，但我不会把你抛下的，岩石。我知道，等到了山地，我会找到你的。松鸦爪心想。

"我们接近风族边界了。"冬青爪凑到他耳边说道,"我们得跨过小溪。"

联想到地洞里令人窒息的水,松鸦爪不禁呆住了。他讨厌把爪子打湿!

狮爪轻轻地撞了撞他的肩膀:"没事的。水真的很浅。"

松鸦爪没好气地顶了他一句,但真正让他生气的是他自己。难道他每次都必须面对溺水的恐惧感吗?

他能听到其他猫走过小溪时,激起的水花的声响。冬青爪的尾巴绕过他的肩膀,带他来到岸边。水流在脚掌边旋转,松鸦爪感到非常紧张。河床慢慢倾斜,水慢慢加深,直至水面没过他的腹部。他能感受到,冬青爪和狮爪紧靠在他左右。狮爪低声说:"过来一点儿,那里有个更深的凹陷。"接着,水面重新变浅,松鸦爪终于到了对岸。他在离岸不远处停下来抖动身体,掩饰如释重负后的颤抖。

"嘿,拜托!"风爪不友好的声音从他身后传来,"你把我的毛弄湿了!"

"抱——歉。"松鸦爪低声说道。

猫群继续沿着湖岸前进,穿越风族领地,经过马场。由于马身上的味道太浓,松鸦爪只能隐约辨别出马场猫的气息,不过小灰和丝儿都没有出来欢迎他们。远处有狗吠,他竖起了耳朵,但马场附近居住的狗都离得很远,并不会成为他们的麻烦。

刚过马场,黑莓掌便带着大家上山。这里的地面是松鸦爪从未涉足过的,他觉得脚垫踩在上边一阵阵刺痛。冒险的大幕这才

真正拉开!家的味道已在身后消散,一阵刺骨的寒风带来新的气息,蛮荒而陌生。他的脚步开始有些蹒跚。蠢毛球!他自责道。这不就是你想要的吗?哥哥姐姐的皮毛紧挨在他两侧。一步步踏过这段未知的旅途,似乎也令他们有些胆怯。

脚下的地面越来越潮湿,越来越崎岖不平。松鸦爪钻过一片芦草,听到水花溅落的声音,随之而来的是强烈的青蛙的气味。过了一会儿,他的一只脚滑下湿漉漉的草丛,水一下子淹没了他的臀部。

"狐狸屎!"他一边骂,一边用前腿把自己拉出来。

"你没事吧?"狮爪关切地问道。

"没事。"松鸦爪咬着牙回答。

狮爪身后,鹰爪正对无星之夜说:"你知道的,这太疯狂了。带着这么个瞎眼的半大猫去山地!"

"我知道。"无星之夜回答说,"他永远都跟不上节奏。"

松鸦爪心里怒气狂涌,可没等他开口还击,就感到母亲的尾巴坚定地落在他嘴巴上。"松鸦爪能处理好的。"她说道,"他和其他任何猫一样,能很好地应对新环境。难道你从来没把爪子放到过错误的地方吗,鹰爪?"她问道。

松鼠飞见大块头虎斑猫没有回答自己,才把尾巴从松鸦爪的嘴上挪到他的肩头。"到这里来。这里更干燥。"

松鸦爪跟着她,谢天谢地,脚下的地面坚实了许多。令他惊讶的是,对于他刚才的失足,风爪没有作出任何嘲讽。他毕竟是一只族群猫,或许他认识到,自己和松鸦爪之间有一种部落猫无

法分享的忠诚吧。

倒不是期待他能支持我,他酸酸地想,那是奢望。

风缓缓吹拂着松鸦爪的脸,他由此判断出,他们已经抵达山脊的最高处。各种新鲜气味越来越多,他已无法一一辨别。

"好壮观呀!"冬青爪喘着气说,"站在这里,我能看到整个湖面和所有领地。"她跳到松鸦爪身旁,用头指了指,"下边有一条河,周围都是树,那里就是河族的营地。在它之后,是黑松森林——影族的领地。我甚至能看到召开森林大会的小岛,还有树桥……从这儿看下去,它显得非常渺小!"

"这个方向就是我们生活的树林。"狮爪也来到松鸦爪身边,"我敢肯定,如果树叶全掉光了,我们就能看到石头山谷。那里是风族生活的开阔高沼地。一切尽收眼底!"

"风族领地看上去永远都那么漂亮。"风爪走到他们身后,说道,"我们领地的景色真是美不胜收啊。"

讨厌的毛球,松鸦爪心中暗想。

"你还记得我们第一次站在这里的情景吗?"松鸦爪知道,这是黑莓掌与松鼠飞、鸦羽、褐皮站在不远处在说话。

"我永远不会忘记。"松鼠飞回答说,"那是一个夜晚,所有星族猫的身影都倒映在湖面上。"

"我简直不敢相信,你们是多么的勇敢。"无星之夜插话进来,"为了寻找新家园,你们长途跋涉那么远,甚至连自己要去哪里都不知道。"

"星族帮了我们。"松鼠飞低语道。

"如果急水部落也被迫离开山地的话,"褐皮指出,"杀无尽部落同样会帮助你们的。"

"离开? "无星之夜警觉地说,"我们永远不会离开,我们祖先的灵魂也不会离开。我们已根植在那片山地上。"

松鸦爪不知道她是对还是错。如果部落猫没能赶走入侵者,那么,部落和他们祖灵的灵魂就可能不得不踏上一段属于他们自己的旅程。

第十五章

狮爪站在妹妹身边，低头凝视着湖水和那些熟悉的族群领地。一阵兴奋袭遍全身，这是他第一次转身背对家园，看到面前宽广的未知世界。

"我们还在等什么啊？"他向冬青爪抱怨道，"为什么不继续前进呢？"

"你没听到黑莓掌的话吗？"妹妹回答说，"他让我们都在原地休息，如果想吃东西，也可以自己捕猎。"

狮爪太专注于旅程，没有注意到父亲下达的命令。他用前爪撕扯着山脊上的矮草。"我不想在这里闲坐着。我们才刚启程呢。"

"是旅行药草让你觉得能量这么大吧？"冬青爪经验老到地说，"但山地是不会为你让路的。"她快速拍了一下尾巴，转身大步朝荆豆丛走去，耳朵和胡须警觉地搜索着猎物的痕迹。

一路爬上山脊，狮爪的脚掌已经被坚硬的地面硌得生疼，但他从未感到过如此充满活力，如此渴望继续踏上征途。在他面前，黑压压的森林沿着斜坡向下延伸。森林之后，狮爪能看到大

片如马场草地般平坦的绿色田野,它被雷鬼路分割开来,此外,那里还散布着一些两脚兽巢穴——其中一些聚集在一起,形成丛生的红色石穴群。

狮爪越过矮小而坚韧的草丛,跳上一块露出地面的岩石,这是山脊的最高处。他站在岩石顶上,山风拂来,毛发服帖地贴在体侧。他觉得,自己就像一名真正的狮族武士!只要伸出一只爪子,他就能遮住整片两脚兽巢穴。最大的雷鬼路看上去小得如同一根黑莓藤,或者是一截他能用牙齿撕咬的嫩枝。

"我可以跑得比野兔还快!我能战胜最凶残的狐狸!"望着盘旋在地平线上的深灰色斑点,他补充道,"我能爬上最高的山峰,速度比会飞的老鹰还快。"

他不知道,别的猫是否也有这种感想。不过,当他低头打量下边那些平静地休憩着的伙伴时,他觉得他们不会这样想。

狮爪竖起耳朵,一边在风声中搜索虎星的声音,一边在岩石与灌木的影子里寻找那只深色虎斑猫的踪迹。这正是虎星告诉他的武士所应具备的感觉:视敌猫如甲虫。可他并没有找到这位前任武士。所有汹涌的感觉似乎都发自他的内心。

"狮爪!我们在等你。"

父亲的声音吓了他一跳。其他猫已经结束休整,站起身来。

"来啦!"他大声喊道。

他从岩石上跳下去,来到弟弟妹妹中间。大家已经开始朝森林进发。尽管部落猫最近已经走过这条路,但还是由他的父母及褐皮、鸦羽在前方带队。

"还记得我们第一次爬上这里时的感觉吗？"褐皮问道。

"我记得当时我的爪子有多疼。"松鼠飞挥了挥尾巴,回答道。

黑莓掌绕开一大丛凤尾蕨:"高红的孩子就在这里摔了一跤。香薇云扶她起来,并背着她。那时候,大家都互相帮助。"

"可再也不会那样了。"狮爪听出,鸦羽的声音似乎充满渴望,过去那种熟悉的尖刻语气并未出现,"族群间彼此互为对手,这是自然规律。"

狮爪忧伤地想起了石楠爪。他猜测,四位高级武士都很怀念他们在大迁徙中建立的友谊。他们似乎认识路,这让他很欣慰。此刻,未知的领地在前方无限延伸,他有些害怕再也看不到自己的家园。他记起刚才在山顶上关于力量的梦想,顿时,不安的情绪笼罩上来,令他浑身发热。谢天谢地,其他猫都不知道他曾经想过什么。

不过松鸦爪可能知道。狮爪的皮毛变得更热,因为弟弟或许已经洞察了他的心思。

"加油啊,跟上脚步。"黑莓掌回头招呼道,"我希望在黄昏时走出这片树林。"

狮爪叹了口气。他已经是拖着步子前进了,肚子饿得咕咕直叫。来自旅行药草的能量似乎已经用尽。他真希望刚才抓住机会休息并填饱了肚子。

"过来。"松鼠飞压低嗓音说道。狮爪回头看到,她正快步朝自己走来,嘴里叼着一只老鼠。她把猎物放在他脚边,又补充说:

"快点儿吃下去。"

"谢谢你哦！"狮爪感激地用鼻子蹭了蹭母亲的肩膀。

"我很烦听到你的肚子叫唤。"松鼠飞打趣地卷起尾巴，"那声音估计留在雷族营地的猫都能听到。"

她说完，便跑到黑莓掌旁边。狮爪则撕咬着食物，狼吞虎咽起来。

他刚吃完，同伴们就已经不见了踪影。不过，他听得到前边传来的群猫的声音，便循着他们留下的气味追上了队伍。现在，腿上重新充满了力量，他从队伍后边蹦跳着前行，来到父亲身边。

"你对那些入侵的猫有什么了解吗？"黑莓掌问鹰爪，"数量有多少？"

"太多了。"鹰爪回答说。

黑莓掌抽抽耳朵。狮爪明白，这是因为，他觉得部落猫的回答对他计划抵达山地后采取的行动没什么帮助。

"好吧，那你们目前做了些什么？"黑莓掌继续发问，"你们已经掌握了他们捕猎和战斗的方式了吗？常规巡逻是怎样——"

"你知道的，我们不是族群猫。"鹰爪的颈毛竖立起来，"没错，我们是需要帮助，但这并不意味着，我们希望被当成一群半大猫。"

"冷静点儿。"无星之夜用尾尖碰了碰部落同伴的肩膀，"黑莓掌只是想寻找帮助我们的最佳方式。"

狮爪一时觉得，这只虎斑护穴猫也会对她厉声回嘴，但他的

毛重新平顺下来,还冲黑莓掌尴尬地点点头,似乎想道歉。

"我们以前从不需要设立边界。"他解释道,"我们只在洞穴附近选择一些岩石,在那里设置守卫,以免有入侵者进入。尖石巫师说……"

这些关于战术策略的谈话越来越无趣。于是,狮爪停在原地,任由父亲和其他猫走向前,自己则等着弟弟妹妹赶上来。

"部落猫好像真的很紧张。"等冬青爪来到身旁,他说道,"我还以为,鹰爪会一掌扇掉黑莓掌的耳朵呢。"

冬青爪若有所思地眨眨眼:"我想,这是因为他们还没有告诉尖石巫师,他们打算做什么。等到一群族群猫出现在急水部落的领地,尖石巫师也许会大发雷霆。"

"大发雷霆?"狮爪气得浑身发烫,"他应该对我们感激涕零才对!"

妹妹扑哧一笑,说道:"也许他的自尊会受到伤害。首领们都应该有能力解决任何问题,无需向外界求助。要是我们有麻烦,你去向风族求助,你认为火星会作何感想呢?"

"也许他会扒了我的皮做窝。"狮爪同意妹妹的说法。

"那么,如果你是尖石巫师,你会怎么做?"松鸦爪用尾巴尖拍拍姐姐的肩膀,充满好奇地问道。

冬青爪想了想才回答:"我会组织边界巡逻——"

"可他们没有边界啊。"狮爪提醒她。

"那就作些标记。"冬青爪动了动耳朵,"我会确保他们每天按时巡逻,同时教会所有猫战斗的技巧。这样就能把入侵者挡在

外边。"

松鸦爪摇了摇头："你在用族群猫的方式思考。部落猫的思维方式是不一样的。我觉得,我们不应该试着改变他们。"

"如果他们正在被赶出自己的领地,将要活活饿死,我们就应该改变他们。"狮爪争辩道,"部落需要武士守则,我们将会教给他们!"

猫群来到森林边缘时,夕阳已在他们面前投下长长的影子。借着透过灌木丛吹来的微风,狮爪抖松自己的毛发。前方是一条向下延伸至狭窄山谷的长满野草的斜坡,草叶上布满尘土。再远些,是更多的树木,其后便是隐隐绰绰的群山。狮爪透过树木,能看见两脚兽巢穴泛红的石头。

"今天我们就在这儿过夜。"黑莓掌宣布道,"这里很隐蔽,猎物一定也很丰富。"

他的话音没落,鸦羽便撒腿从队伍里跑开,腹部擦着草地狂奔过开阔地。风爪紧追而去。这两只风族猫分散开来,尽管野兔躲过了鸦羽,却将自己送到了风爪脚下。风族学徒迅速一口咬住它的脖子。

"动作真漂亮!"狮爪对拖着猎物返回的风爪说道。

风爪没理会,但鸦羽对他点了点头。随后,两只风族猫便安顿下来分享猎物。

狮爪转身走进林地,寻找自己的猎物。他嗅嗅空气,发现一只老鼠正在一片黑莓丛边缘摸索前进。他一跃而起,同时伸出爪

子,可他把爪子插进那个小家伙的身体时,感到黑莓藤缠住了他的肩膀。他用力往回挣扎,留下了一绺橙色的毛。他的皮毛一阵刺痛,笨拙的捕猎令他非常尴尬。带着猎物回到森林边缘时,他真希望风爪没看到刚才的一幕。

冬青爪和松鸦爪已经蹲在一丛凤尾蕨形成的遮蔽处,享用刚刚抓到的猎物了。冬青爪在吞食一只肥美的鼹鼠,松鸦爪则在撕咬一只麻雀。

"真希望我们能在这儿多待一阵子。"冬青爪含着满口食物咕哝道,"这里到处都是猎物!"

"可我们没法多待。"松鸦爪面无表情地说,"要真是那样,我觉得我们中的有些猫会不开心的。"

他朝鹰爪和无星之夜摇了摇尾巴。他们已经吃过东西,正准备在两截长满木瘤的树根上安顿过夜。他们不安地转着圈,仿佛无论怎样都不够舒服。

不知藏在哪里的一只猫头鹰在附近叫了起来。无星之夜愣了一下:"什么东西?"

"是只猫头鹰啦。"溪儿走到部落同伴身边,用鼻子碰碰这只黑色母猫的肩膀,"没事的。松鼠飞会放哨,暴毛接她的班。"

"唉,我不喜欢这里。"鹰爪嘟哝着,突然猛地转头,注视着一棵发出嘎吱声的树木,"我宁愿到外边的空地上,那样的话,如果有什么东西偷袭我,我就能发现。"

"很快就会那样了。"溪儿向他保证,"刚才那声音只不过是树枝发出的。"她温柔地喵了一声,混杂着同情与调侃,"树是不

会偷袭你的啦。"

狮爪张开嘴,打了个大大的呵欠,然后蜷紧身子和弟弟妹妹一起,在草丛中压成的窝里躺了下来。他觉得温暖而舒适,肚子也饱饱的。他闭上眼,部落猫清脆的山地语和猫头鹰的鸣叫混杂在一起。后来耳边的声响渐渐模糊起来,犹如雨水滴答着落入水池。

这时,舒展的树枝后边,一处洼地里传来风爪抱怨的声音,狮爪的耳朵不由得竖了起来。"我根本就不明白,我们为什么一定要来。我们能做些什么去帮助这些奇怪的猫——为什么要这样做呢?部落为我们做过什么?"

"羽尾为了从尖牙那里救他们,献出了自己的生命。如果那个时候,他们值得我们去帮助,现在也一样。否则,她的死就变得毫无意义了。"鸦羽低声说。

狮爪抬起头,看到那只皮包骨的风族猫正背靠树干坐着,渐趋阴暗的天空映衬出他的轮廓,而风爪正趴在草丛里。

"可是,听起来我们给他们的帮助已经够多了。"风爪不同意父亲的说法。

鸦羽叹了口气。狮爪从未觉得,哪只猫的叹息听上去如此疲惫不堪。"你永远也无法理解忠诚的含义。"灰黑色公猫说道。

狮爪困惑极了。羽尾是一只河族猫,可鸦羽为何对她格外忠诚呢?

他用尾巴盖住了鼻子。这些武士有那么多的回忆,多得让他几乎难以理解。他紧紧地靠着弟弟妹妹。周围森林里的动静慢慢

淡去,狮爪渐渐进入了梦乡。

一只脚掌捅了捅他的肩膀,狮爪猛然惊醒,跳起来手忙脚乱地爬出草窝。

黑莓掌站在他面前,用尾巴掠过他的嘴巴,示意他保持安静。在他旁边,松鸦爪和冬青爪正毛发竖立地蹲伏着。冬青爪透过树木的掩护,紧盯着外边,尾巴尖颤动着,松鸦爪的耳朵也警惕地竖起来。

"有别的猫在附近。"黑莓掌低声说道。

狮爪开始探测气息。一开始,除了其他族群猫混杂的气味外,他什么也没闻到。鹰爪站在那里,已经准备好迎接战斗,松鼠飞正跳过来站在黑莓掌身旁。森林里和后边的山坡上似乎一片宁静。清晨的阳光透过树木的缝隙照射下来,将狮爪的皮毛映得一片火红。露珠在草叶和黑莓丛之间的蜘蛛网上闪耀着剔透的光芒。

一阵微风拂过,带来了新的气息,狮爪这才放松下来。"是一只宠物猫!"他大声喊道,"我不怕宠物猫!"

"嘘!"黑莓掌赶忙阻止他,"也许我们正处在宠物猫的领地里,不到万不得已,我们不愿发生战争。"

"我们不用跟宠物猫战斗。"冬青爪不屑地说,"我敢打赌,只要我们露出牙齿,它就会哭着鼻子回到两脚兽身边啦。"

"也许不会。"松鼠飞的声音虽然很小,却颇为严厉,"我就认识很能打斗的宠物猫,如果有谁在这里受伤,对我们都是个麻烦。现在都听黑莓掌的,保持安静。"

草丛下传来一阵沙沙声,狮爪的身子僵硬起来。附近一丛黑莓的叶子剧烈地摇晃着,随后便分散开来。只见一只胖嘟嘟的公猫钻了出来,踏入空地。他毛发凌乱,纠结在一起,灰色的口鼻表明他已上了年纪。他在黑莓丛边停下来,盯着面前这群旅途中的猫。

黑莓掌也盯着他,惊讶地睁大了琥珀色的双眼。身旁的松鼠飞也跳了起来,颤抖着欢呼了一声。

"波弟!"

第十六章

冬青爪转过身，睁大眼睛盯着母亲："你认识这只宠物猫？"

松鼠飞两眼放光。"第一次征程中，我们遇到过他。"她解释说，"他帮我们找到了通往太阳沉没之地的路。"

褐皮从之前休息的黑莓丛中蹦跳着跑上前。"嘿，波弟！"她一边喊，一边穿过草地，与面前这只老虎斑猫蹭了蹭鼻子，"你过得怎么样啊？"

暴毛跟着她走过来，说道："你好，波弟。很高兴星族再次给我们的旅程带来惊喜。"

"我的一个朋友告诉我，林子里有陌生的猫，我估计就是你们。"老公猫说，"可其他猫呢？那个总是吵吵闹闹、骨瘦如柴的年轻学徒呢？"

"我在这儿。"鸦羽走上前，与大家站到一起。

"你允许他这样谈论你吗？"风爪满脸敌意地瞪着虎斑公猫，对鸦羽喊道，"我一掌就能扯掉他的皮。"

鸦羽眯起眼睛："你不懂，风爪。波弟是我们征程的一部分。这很重要。"

风爪不屑地哼了一声。

"鸦羽现在已经成为武士了。"黑莓掌赶紧接话。冬青爪猜测,他这是在岔开话题,不想让波弟因风爪的粗鲁而感到不快。

"我也是武士啦。"松鼠飞补充道,"我的武士名叫做松鼠飞。"

"噢,我永远也成不了武士!"波弟琥珀色的眼睛放着光,"可你们原来有六只猫的啊。"他环顾左右,继续说道,"那只银色的猫呢——羽什么来着?"

"她死了。"不等其他猫开口,鸦羽便抢先回答。

"很遗憾听到这个消息。"波弟垂下尾巴,不过很快,他的眼里再次有了神采,"我还以为再也见不到族群猫了呢,可现在你们居然全都来了。"

"这些并不都是族群猫。"暴毛指出,他摆摆尾巴,招呼溪儿和其他部落猫靠近些,"这是溪儿,这是无星之夜,这是鹰爪。他们都来自山地。"

"什么?"波弟的颈毛竖了起来,"这么说,真的有猫在山地生活?"他眯起眼打量着三只部落猫,"我还以为你们只是个传说,就是那种猫后为了防止孩子们离家迷路而编的故事。"

"不,我们的确存在。"鹰爪说道。

"没错,我已经亲眼看到了。"波弟舔舔胸口的毛,斜着眼将目光投向山地猫,好像担心他们会伸出爪子,张大嘴巴扑向自己似的。

"这些是我的孩子。"松鼠飞用尾巴扫过冬青爪、狮爪和松鸦

爪，让他们靠近老虎斑猫，"是我和黑莓掌的孩子。"

"孩子！"波弟的胡须惊讶地颤动起来，"你们自己还是孩子呢。过来，小猫们，让我看看你们。"

"这是我的儿子风爪。"鸦羽也把风爪推上前去。

三个同窝手足走向波弟。冬青爪礼貌地向他低头致意时，他那酸臭的鼻息飘了过来，冬青爪不得不努力使自己不向后缩。

"他真老！"风爪悄悄对她说，"比我们所有的长老都要老。他怎么还没死啊？"

"闭嘴，你这个蠢毛球。"冬青爪压低声音说，"宠物猫受到他们的两脚兽的照顾，不需要自己捕食。"

波弟什么也没说，但一只皮毛蓬乱的耳朵却抖了抖。冬青爪知道，他听到了风爪的议论。

"我敢打赌，就算这个老家伙从现在起，开始尝试捉老鼠，直到秃叶季，他也一只都抓不到。"

波弟望着他："你说得对，我不再捕猎了。我从直立行走的家伙那里获得食物。但我估计，只要有可能，我就会试着去吃掉无礼的小鬼。"

"我不是个——"风爪腾起一股怒火，鸦羽迅速伸出脚掌，在他耳朵上扇了一巴掌，他才闭上了嘴。

"别听风爪的。"松鸦爪对老公猫说，"大家都知道，他是个鼠脑袋。"

波弟的胸腔发出一阵咕哝："别担心啦，小伙子。我遇到的讨厌猫比你见过的兔子还多。"

他压低脑袋打量着其他三只小猫。当他靠近时,冬青爪发现他的皮毛好像已经几年都没有梳理过了。她还发现,他脖子侧面有一只虱子,还有一些跳蚤在纠缠打结的毛发间跳跃。

真讨厌,有跳蚤!老天保佑,我可不希望它们蹦到我身上来。冬青爪恨恨地想。

在族群中,学徒们会为长老梳理皮毛,驱除虱子和跳蚤。或许,波弟得到的照顾终究不及族群猫那么周到。

"你们在这里做什么啊?"波弟认真闻了闻冬青爪和她哥哥弟弟的气息,然后问道,"不会又是要去太阳沉没之地吧?"

"这回不是了。"黑莓掌回答说,"我们要去山地。部落猫需要我们的帮助。"

波弟警觉地拉长了眼睛。"那里不是猫该去的地方!"他反对道,"你是说,你们找不到比那里更好的居住地了吗?"

"我们找到了一个非常好的地方。"松鼠飞让他放心。

"在湖边。"褐皮补充道,"那里的领地足够四个族群居住,也不太会受到两脚兽的打扰。"

"那你们为什么不待在那儿?"波弟问道。

"我们会回去的,但现在,部落猫需要我们。"黑莓掌说。

冬青爪没听清波弟的回答,因为狮爪凑到了她耳边。"我们为什么不继续前进啊?这只老猫让我们全都在这里耽搁。"

"我想,他是个老朋友吧。"冬青爪说。不过,她心里赞同狮爪的说法。远征队站在这里讲过去的故事时,也许山地猫正在死去。

让她欣慰的是，黑莓掌终于向老猫点了点头："我们得动身了。能再次见到你实在是太高兴了，波弟。"

"现在还不需要说再见。"波弟说道，"我觉得，我可以和你们一起去。"

冬青爪看到，自己内心的惊愕很好地反映在了部落猫的脸上。无星之夜赶紧对鹰爪耳语了些什么。

"黑莓掌——"鹰爪开口了。

"我觉得这个主意可能不大好。"黑莓掌对波弟说。他琥珀色的眼睛里流露出的对波弟的尊敬，令冬青爪很是费解。"这会是段艰苦的征程，而且最终将会发生战争。"

波弟抖抖毛。"你是说我无法战斗吗？说我太老太胖，是这个意思吗？"不等其他猫回答，他便发出一阵嘶哑的笑声，"或许你是对的，但我能和你们一起走过树林。"他朝对面山谷里的林地摇了摇尾巴，"我了解那么一、两件或许对你们有帮助的事情。"

"老鼠屎！"风爪喃喃低语，但声音还是足以传入波弟的耳朵，"这只愚蠢的老猫在给我们添乱。"

波弟只是摆摆尾巴，转身背对着风族学徒，走到黑莓掌所处的树林边，沿着山坡朝下走去。松鼠飞跃上去加入他们，走在波弟的另一边。

冬青爪不喜欢风爪的粗鲁，可心里的想法却和他是一致的。在这分秒必争的时候，这只老猫的加入一定会减缓他们的速度。

"黑莓掌他们以前到过这里。"她低声对狮爪说，"波弟究竟能告诉他们些什么未知的事情呢？"

狮爪耸耸肩："正如风爪所说，他是在给我们添乱。"

朝山谷进发的路上，冬青爪听到，波弟谈论起她只在远处看到过的两脚兽地盘。

"还记得那些老鼠吗？"他问道。

"永远都忘不了！"褐皮大吼起来，"我想，只要能咬上它们一口，就算死我都愿意。"她用舌头绕着嘴唇舔了一圈，满足地补充道，"我吃掉的那只老鼠根本来不及后悔。"

波弟的胸腔中发出一阵深沉的咕哝声："它们已经不在那里了。直立行走的家伙在那里建了窝，把所有老鼠都赶跑了。"

"很好！"褐皮摆动着尾巴。

"魔鬼们栖息的那片开阔地……"

冬青爪不想再听下去了。他们又不会到靠近两脚兽地盘的地方去，波弟为什么要告诉他们这些呢？她开始脚痒痒的，真想一口气冲下山谷，但她不得不放慢速度，配合波弟迟缓的步伐。

"黑莓掌为什么这样做啊？"她低声说，"我们在这里溜达的时候，没准急水部落就被消灭了。"

"部落猫一定也这样想。"松鸦爪说道，"鹰爪已是怒火中烧了。"

其实根本不用弟弟提醒，冬青爪就已经洞悉了这一切。溪儿只是看上去一脸不悦，但无星之夜和鹰爪却在激烈地交头接耳，他们的颈毛都竖立着。如果黑莓掌不赶紧加快脚步，一定会引发一场争论。

太阳已经升上树梢，凉爽的草叶刷过冬青爪体侧，令她非常

舒服。蜜蜂在四叶草间嗡嗡直叫,鸟儿们则在清澈的蓝天中时而俯冲,时而欢唱。前方不远处,一群灰白色的动物正啃食青草。

"看,绵羊。"风爪甩甩尾巴,指给他们看,"这意味着附近一定有两脚兽的牧场。"

"我们知道。"冬青爪不客气地回应他,即便在对波弟的看法上与风爪一致,她也不会友好地对待他,"我们原来就见过绵羊,谢谢啦。"

"在风族——"风爪用傲慢的口气说道。

"还有别的什么。"狮爪插话进来,"是另一种动物的气味。我从没闻到过。"

冬青爪停下来使劲儿嗅闻。狮爪说得对。除了周围的猫、绵羊和远处微弱的狗的气味外,她还闻到了别的什么。虽然她没看到任何东西,但恐惧感骤然袭来,她还是不由得伸出了爪子。

黑莓掌带队绕过山腰,山谷便展现在他们下方。山坡下是密集的两脚兽巢穴,每个巢穴四周都围着一圈栅栏。奇怪的气味越来越强烈。冬青爪感到自己的毛发开始竖立,因为她已经发现了那个气味的源头。在两脚兽巢穴和远征队之间,有一群黑白相间的动物。它们长着尖尖的石头般的脚,长长的尾巴在空中挥舞,还发出笛鸣般的嘶嘶声。

"那是些什么啊?"狮爪问道。风爪第一次无言以对。

"它们可真大。"冬青爪说话时,尽可能把真实的紧张感隐藏起来,"它们正盯着我们呢。你们觉得,它们会发起攻击吗?"

冬青爪做好了逃跑的准备。这时, 她听到了波弟嘶哑的笑

声。"完全不用担心。"他粗声粗气地说,"它们只不过是奶牛罢了。"

"没事的。"松鼠飞回头看了看,"我们原来也见过奶牛。只要你远离它们的大蹄子,就不会有任何危险。"

幸好,黑莓掌带领大家下山时远远绕过了奶牛,冬青爪这才松了口气。等到那些陌生动物被远远地抛在身后时,她觉得更加开心了。

"我闻到了老鼠的味道。"他们继续靠近两脚兽巢穴时,狮爪说道。他快跑几步,追上黑莓掌问:"我们能停下来捕猎吗?我饿了。"

冬青爪也嗅到了那充满诱惑的味道,令她垂涎欲滴。香味似乎是从离其他巢穴有一定距离的两个最大的巢穴里飘出来的。她蹦跳着去声援哥哥:"求求你啦,黑莓掌。我也饿了。"

黑莓掌迟疑了。这时,波弟开口回答说:"你们不会想和那种地方扯上丝毫关系的,小猫们。那很危险。难道除了老鼠,你们就没闻到狗的味道吗?"

黑莓掌点点头:"我能闻到。谢谢了,波弟。我们继续赶路吧,直到抵达某个更安全的地方。"

狮爪气恼地哼了一声。"我才不怕狗呢。"他嘟囔着。

"我也不怕。"风爪附和道,"在风族领地,我们随时都能看到它们。只要懂得怎样应对,它们其实并不危险。"

"两脚兽也许会让那些蠢货闭嘴。"狮爪补充道,"波弟只是在大惊小怪而已。"

"没错。"风爪说道,"他只是只宠物猫,所以很容易害怕。"

瞧瞧这些公猫!听到哥哥和风族学徒居然意见统一地站在同一战线,冬青爪不禁直摇头。他们继续喃喃低语,黑莓掌则带领大家走到树篱的影子下。

冬青爪竖起耳朵,关注是否有猎物的动静。她似乎在树篱深处看到了什么,可当她想看得更仔细些时,一根山楂枝扯住了她的毛发,那个还不清楚是什么的小动物不见了。她气恼地啐了一口,停下来整理肩部的毛,然后她发现,狮爪和风爪正紧贴地面,朝牧场的方向爬行。

"嘿!"她喊道,"你们知道自己要去哪儿吗?"

狮爪用尾巴示意她小声点儿:"看在星族的分上,请保持安静!"

冬青爪扫了一眼其他猫。他们正往前行进,没有谁注意到这边。松鸦爪走在暴毛和溪儿中间,也没意识到他们几个已经离开队伍。

冬青爪赶紧冲到哥哥与风爪身旁:"你们去哪儿?"

"别紧张。"狮爪低声说道,"我们只是要回到牧场去。所有猫都走得那么慢,我们完全可以在引起他们的注意之前,去抓几只老鼠。"

"快点儿吧。"风爪碰碰狮爪的肩膀,催促着,"我现在已经能闻到那些老鼠的味道了。"

"你们是鼠脑袋吗?"冬青爪喊道,"万一你们被落下了,怎么办?我们得待在一起。"

"我们不会被落下的。"狮爪回答说。

"那个波弟只不过是只宠物猫,而且又很老。"风爪插话道,"他也许一辈子都没逮到过一只老鼠。为什么要让他来告诉我们该怎么做呢?"

"是黑莓掌告诉我们该怎么做的。"冬青爪指出,"要是被他抓到,他一定会拿你们的尾巴当猎物的。"

"我们保证不让他抓到。"狮爪琥珀色的眼睛里闪出一丝异样的光芒。冬青爪从头到尾打了个寒战。她不想让哥哥带着这种情绪离开,尤其是和风爪一起,他是个早就被证明在紧要关头不能信赖的家伙。但她清楚自己无法阻止他,除非向高级武士报告他的计划。

"好吧。"她说,"我和你们一起去。"

风爪瞪着她:"没有猫邀请你。"

"让她加入吧。"狮爪把尾尖落在冬青爪的肩上,"找猎物的时候,三个总比两个好。而且,冬青爪也是族群里最优秀的猎手之一。她几乎和沙风一样优秀!"

"那好吧。"风爪的腔调让冬青爪厌恶。

冬青爪又朝树篱边缘望了一眼。其他猫已经不见了,但弥漫在空气中的气味告诉她,他们尚未走远。

"来吧。"狮爪低声说道。

他纵身越过一片开阔地,奔向两脚兽的栅栏。冬青爪和风爪紧跟而上,腹部划过草叶,尾巴也飘了起来。冬青爪竖起耳朵,希望听到身后传来斥责声,但四周一片静悄悄的。

两脚兽的栅栏和马场周围的一样，都是用某种有光泽的东西做成的。狮爪俯身贴近地面，从最低的隔条下钻了过去，一到另一边，他便立刻站起身来。

"快点儿！"他催促着。

冬青爪匍匐前进，感觉到栅栏刮擦着她的后背，于是记起母亲说过，她曾在第一次征程中被栅栏卡住。冬青爪害怕自己也被卡住，连爪子也刺痛起来。

不过，她还是安全通过了。风爪跟在她后边钻过栅栏。狮爪已开始冲向两座两脚兽巢穴间的一条窄缝。浓烈的老鼠气味引诱得冬青爪再次涌出口水。她跟着哥哥，在一片铺满石头的开阔地边缘猛地停了下来。

这三个学徒所站位置的对面，就是一个巨大的两脚兽巢穴。入口处是一道微微开启的木头屏障，巢穴里边很黑。狮爪环顾四周。虽然冬青爪闻到了狗和两脚兽的气味，但却看不见他们。

狮爪用尾巴比划了一下，三只年轻的猫便轻巧地穿过空地，通过窄缝，溜进巢穴里。

一进入巢穴，冬青爪就停了下来，奔跑和恐惧已经让她喘不过气来，她一直等着眼睛适应这里昏暗的光线。巢穴的墙壁用粗糙的石头砌成。光线透过入口，以及几个位于墙面高处的缺口投射进来。尘埃在绿色的光柱下舞动，泛着金光，但巢穴的其他部分全是黑影。老鼠的味道更加浓烈，可冬青爪太紧张了，根本无心捕猎。她转过身，望着他们的来路。

身后忽然传来一阵急促的奔跑声和短促的尖叫声。

"第一只猎物！"风爪高兴地宣布道。冬青爪扭过头，看到他正蜷伏在一只肥硕的老鼠尸体上。

狮爪已经摆开了狩猎姿态，他的腰来回摆动着，眼睛紧盯着阴影中的什么东西。分辨出那是一只巨大老鼠的轮廓时，冬青爪倒吸了一口凉气。它简直和狮爪一样大。

狮爪猛扑过去。紧接着，便是一阵短暂的挣扎和一声老鼠的惨叫。狮爪狠狠地一口咬住了它的脖子，一切顿时回归平静。他踩在猎物身上，眼里放射出骄傲的光芒。

"太漂亮了！"冬青爪呼喊起来。

"还不错。"风爪嘴里塞满了老鼠肉，咕哝道。

狮爪咬住猎物的尾巴，往巢穴中央拖。"过来一起吃啊。"他向冬青爪发出邀请，"我自己肯定吃不完。"

"谢谢，我——"冬青爪话没说完，便被外面的动静和突如其来的强烈气味打断了。

她僵直地凝视着通往开阔地的缝隙。她什么也看不见，但听到了木栅栏下传来的鼻息声、沉重的脚步声和低沉的咆哮声。

风爪瞪大了眼睛："狗！"

第十七章

"我们必须离开！"风族学徒放弃了剩余的鼠肉，朝入口冲去，但即将到达入口时，又急停下来。三个黑白相间的影子出现在缺口处。发现猫之后，它们张开嘴，眼里放着光。

"一对一。"恐惧让狮爪的声音发干，"这简直太妙了。"

冬青爪环顾四周。这个巢穴没有别的出入口，石墙上除了用来透光的那些让猫无法跃及的缺口外，也没有别的缝隙。

狗开始俯下身，压低脑袋，弯曲腿脚，准备扑向猫。现在，我知道当猎物是什么感觉了，冬青爪心想。她和另两只公猫紧张地朝后退缩。

"尽量避开它们。"狮爪小声说道，"只要能出去，我们就能甩掉它们。"

第一只狗跳向前。冬青爪转身便跑，幻想着自己嘴里喘出的热气还未消散，后腿便已能从中穿过。她尽可能让脚步更快，肌肉随之收缩，可旅程已让她十分疲劳，爪子在满是灰尘的石头地面上频频打滑。在她前方，巢穴的另一端是一大堆干草。绝望的冬青爪琢磨着，自己是否能藏在草堆里。可她清楚，狗也能钻进

去把他们拖出来。因为草堆后边就是光秃秃的石墙。

我们为什么会让自己陷入绝境?简直无法相信,我们会这么愚蠢!"星族啊,救救我们吧!"她气喘吁吁,但与此同时,她又希望那些星光闪耀的武士没有看到这一幕,不知道他们是多么的不守规则。

"到上面来!"

上方传来喊声。她抬头望去,看到墙壁高处一个狭窄的缝隙中露出一只猫的头和肩膀。她惊得目瞪口呆。是波弟!

"爬上干草堆!"老猫催促道,"你们想在下边等着被吃掉吗?"

狮爪冲向干草堆,开始向上爬。冬青爪紧跟在他后边,她听到后腿旁边传来咬牙声,随后是一声尖叫。她回头一瞟,看见风爪正拼命往上爬,但却被一只狗紧紧咬住尾巴向下拖。

冬青爪非常紧张。她该回头去帮忙。尽管不喜欢风爪,可他毕竟是一只族群猫,她不能抛下他不管,任由狗将他撕碎。但没等她往下爬,风爪便痛苦地向上一跃,挣脱尾巴,挣扎着往高处爬,逃离了那些张开的血盆大口。

狗试图追上他,可它们太重了,爬不上草堆,只能围着干草堆打转,垂涎欲滴地嗅着风爪的血迹。

冬青爪接着向上爬,身子的一半埋在了草堆中。她的毛被缠住了,草籽钻进了她的鼻子,令她直打喷嚏。在她前边,狮爪已经够到了那个缺口,波弟正等在那里。老虎斑猫紧紧抓住他,把他拖过去,扔到了冬青爪看不见的某个地方。

接着，他又来帮助冬青爪，抓紧她，硬生生地把她拖到空中。冬青爪吓得脑子里一片空白，觉得自己一定会摔回地面。她绷紧身子，等待迎接撞击，却颤抖着落在墙上缺口下不远处的一片倾斜的红窝顶上。她失去平衡，感觉自己正向窝顶边缘滑去，直到狮爪冲到她前面，让她停止下滑之势。

"谢谢！"她上气不接下气地说。

她回过头，看到波弟正用力拖着风爪通过缺口。

"我的尾巴怎么办？"波弟将他放到其他猫身边时，风族猫哀号起来，"它在流血！"

"闭嘴，跟我来！"波弟砰的一声跳落到他们身旁，"不然的话，你要担心的就不只是你的尾巴了。这边走。"他一边补充，一边爬行到屋顶边缘。

他跳到一个装满水的容器边沿，再下至地面，接着急促地招呼他们跟上。狮爪最先轻松下地。冬青爪跟在他身后，但更加小心，因为担心一头扎入冰冷的水中。风爪一落到她身旁，便赶紧把尾巴甩到前面，检查正在淌血的尾尖。

"你能不能不这样啊。"波弟低声说，"我们现在必须跑！"

巢穴里传出一阵犬吠，紧接着，雷鸣般的脚步声在空地上响起。波弟拔腿朝这几个学徒来时的路跑去，速度不逊色于任何一名武士。学徒们跟着他狂奔。接近栅栏时，冬青爪的心跳得更加厉害了。他们能在被狗抓到之前钻过去吗？

但波弟带领他们跑到了栅栏的另一处，直接将狮爪从一个洞口推了过去。冬青爪紧跟着攀爬而过，比从最下边挤过去轻松快捷得多。接着是风爪，最后是波弟。三只狗冲过来时，波弟转过身，对着它们大吼起来。

"回到你们的直立动物那里去，"他嘲弄着，"让他们给你们喂食吧。你们今天抓不到猫啦。"

冬青爪觉得这些狗根本听不懂。它们只管徒劳地冲向栅栏，洞口太小，它们无法通过。过了一会儿，一只两脚兽在离得最近的一座巢穴的转角处出现，并冲它们大喊。狗吠随之变成呜呜，它们一边离去，一边朝猫投来愤怒的目光。

"好了，我们走吧。"波弟说道。

他带着他们回到树篱形成的屏障下，三个学徒顿时瘫倒在深深的草丛中。冬青爪闭上双眼。等她再次睁开眼时，波弟已经不见了，黑莓掌和鸦羽站在她面前。

"你们三个真的是彻头彻尾的鼠脑袋吗？"黑莓掌的语气非常严厉，"我告诉过你们，牧场上有狗，可你们还是要让自己身陷险境。这是为什么？就为了几只老鼠？"

"对不起。"冬青爪嘟哝道，不敢直视父亲的目光。

"我们没认真想过这些。"狮爪承认道。

"这还用说吗？"黑莓掌没好气地说。

"可这并不全是我们的错。"风爪停止舔尾巴，抬起头说道，"要不是你们让我们这么饿——"

"你们谁也不懂饥饿究竟是什么。"鸦羽啐了一口。

"我希望你们三个已经谢过波弟了。"黑莓掌继续说道，"你们很幸运，是他猜到你们去了哪里。要不是他——"

汪汪！

尽量避开它们。只要能出去，我们就能甩掉它们。

到这儿来！

喵！

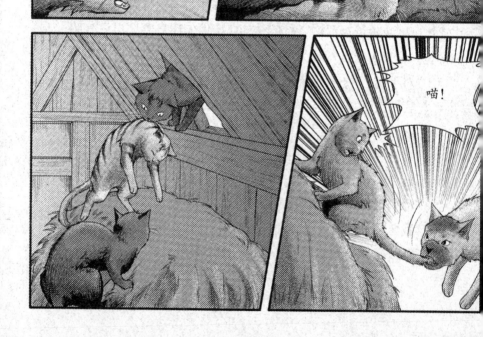

"我们自己也能爬上草堆，找到出路。"风爪插嘴说道，"我们一点儿都不欠那只疯狂的老猫。"

冬青爪张大嘴看着他。是的，如果他们不是那么胆战心惊，如果他们事先就知道，走哪个缺口比较容易到达地面，也许真能自己找到出路。但她明白，要不是波弟，他们三个全都得死在两脚兽的窝里，被狗撕成碎片。

鸦羽愤怒地哼了一声，转过身去。不知为什么，冬青爪的心里涌上一股对风爪的强烈同情。她宁愿受到黑莓掌的责罚，也不想面对鸦羽的冷漠。他喜欢过风爪吗？她和哥哥弟弟都无法忍受这个风族学徒，可看在星族的分上，鸦羽是他的父亲呀！

真庆幸他不是我的父亲，她暗自寻思着。

树篱下的灌木中传来一阵骚动，她吓了一跳，其实只不过是松鸦爪含着一嘴药草来了。"山萝卜。"他把叶子放在风爪旁边说道，"本来想用马尾草的，可是没找到。嚼碎它们，然后把叶浆敷在你的尾巴上。"他告诉风爪。接着，他转过来问冬青爪和狮爪："你们受伤了吗？"

"没有，我们很好。"狮爪回答。

"最好让我检查一下。"松鸦爪把狮爪从头到尾嗅了个遍，然后又查看了冬青爪。

"我们真的没事啦。"见弟弟紧张得发抖，她对他说，"很抱歉，没能给你带一只老鼠回来。"

"你不应该为此感到抱歉。"弟弟话里的恐惧和怒气让冬青爪十分震惊，"要抱歉，就为你们擅自离开，做出愚蠢的事情而抱

歉吧。你们没有为我考虑，对吗？如果失去你们，我该怎么办？"

冬青爪艰难地吞了口唾沫。除了确认他没有注意到他们离开，她的确并未想过松鸦爪的感受。她忘了松鸦爪是多么需要她和狮爪，忘了如果没有他们，松鸦爪再想过上一种正常的生活将有多难。

"我们真的很抱歉。"她用鼻子碰了碰弟弟的肩膀，"我们——"

"抱歉又不能当饭吃。"松鸦爪从她身边走开，很快地嗅了嗅敷在风爪尾巴上的山萝卜浆，然后大步沿着树篱走去。"他们没事了，我们可以继续前进。"他一边走，一边扭头对黑莓掌说道。

松鸦爪回到树篱阴影处等候的猫中间。波弟正蜷伏着，似乎睡着了。松鼠飞和褐皮在放哨，暴毛和溪儿互相梳理着皮毛，另两只部落猫则紧靠在一起低语。

"是时候了。"褐皮咕哝着站起来。

"你们都没事吧？"松鼠飞问道。尽管她的语气也很严厉，但冬青爪感受到了她的担心。

"我们没事。"狮爪悄悄地说，"我们不会再这样了。"

黑莓掌的声音十分冷漠："你们最好别再那样。"

暴毛捅捅波弟，将他叫醒，远征队再度启程。两脚兽巢穴石头地面的刮擦让冬青爪脚底刺痛，干草堆里的草籽还混杂在她的皮毛中，她觉得浑身火辣辣的，很不舒服。很快，他们就不得不离开树篱的阴影，穿越一块开阔地了。阳光直射而下，她的喉咙开始冒烟，肚子也饿得咕咕直叫。猫群终于抵达山谷另一侧的森

林时,早已精疲力竭的冬青爪四肢都打起战来。

黑莓掌在树木间停下来。"今晚,我们就在这里过夜。"他宣布道。

"可现在还是白天。"鹰爪反对道,"在天太黑之前,我们还可以走得更远。"

"我希望你不要因为这些学徒而停下来。"鸦羽恶狠狠地瞪了儿子一眼,附和道,"要是他们累了,那也是他们自找的。"

"不,并不是因为这个。"黑莓掌冷静地说,"不过,如果他们真的倒下去,我们谁都无法走得更远。但如果现在就在这里休息,明天便可以一大早动身,赶在黄昏前抵达山地。"

武士们开始在树林边的凤尾蕨和黑莓丛中捕猎。狮爪和风爪在树根间的苔藓上并肩倒下,很快便进入梦乡。

冬青爪本想和他们一样睡上一觉,可在此之前,她还必须做另一件事。她强迫自己拖着四肢,蹒跚着朝树林深处走去,直到在两片灌木之间的空地上,发现一只正在奔跑的老鼠。等她扑上去时,老鼠已经冲到一堆枯死的树叶下边,她紧跟着挥爪抓去,终于用爪子按住了老鼠。

这样的捕猎实在是太糟糕了,她暗想。不过她实在太累了,也顾及不了这么多。

她拖着疲惫的身子,返回树林边,来到波弟蜷伏的位置。波弟正将爪子藏在身下,眯缝着眼盯着山谷。

当她靠近时,波弟睁大了一只琥珀色的眼睛。"你有什么事吗?"他问。冬青爪本以为他对自己会抱有敌意,可没想到他语气

平和,甚至充满友善。

"我给你带来了这个。"她把老鼠放在他前边,"食物,还有别的。"她忽然间尴尬起来,用前掌刮擦着草地,"我……呃……我总是忍不住注意到你身上有许多虱子。"她结结巴巴地说,"如果你愿意,让我来除掉它们吧。"

波弟抬起一条后腿,充满活力地挠了挠耳背:"我不会拒绝的。"

冬青爪强忍着那股令她作呕的可怕味道,小心翼翼地把老鼠胆汁挤出来。紧接着,她又取来一片苔藓,用它将胆汁吸干。她向波弟解释道:"在族群里,巫医就是这样做的。我曾经当过一阵子巫医学徒,所以知道该怎么弄。"

冬青爪开始用苔藓轻拍他凌乱的虎斑皮毛。"味道可真难闻。"波弟说着扭过头去。不过他还是一动不动。随着那些小东西从他身上掉落,波弟轻松地舒了口气。

"你的两脚兽不会给你除虱子吗?"冬青爪一边操作,一边问道。

波弟摇摇头:"我的直立行走的家伙早就死了。还有其他一些会时不时喂我食物的两脚兽,但他们才不管我的皮毛呢。我自己也不在乎。"他最后这句话缺乏说服力。

冬青爪对他产生了深深的同情。这么说,他甚至不再是一只宠物猫了,只是一只正在变老的独行猫。"看,我做完了。"她告诉他。

波弟发出一阵咕哝声。"谢谢,我现在感觉好多了。"他说,

"这就是你当巫医时学会的,嗯?至少族群猫在这件事上是正确的。"

"今天的事我们感到很抱歉。"冬青爪低声说,"真的非常感谢你所做的一切,谢谢你赶来营救我们。"

"没什么。"老猫回答说,"跟那些狗较量,让我觉得自己又年轻了。"

"我想,我们能从你身上学到很多东西。"冬青爪告诉他。

老猫只是诙谐地哼了哼,便低头大口吞食起残余的鼠肉来。冬青爪蜷伏在他旁边长长的野草上,伴随着他享用食物时心满意足的呼噜声,渐渐睡着了。

第十八章

　　松鸦爪尽量把爪子插进光秃秃的岩石缝里。风呼呼直响,几乎能把他从紧贴着的山脊上刮下来。他害怕极了。头顶是寒光闪闪的群星,脚下除了那些阴影之外,什么都没有。阴影遮盖了一切,只能看到一些锋利得犹如猫脊骨的嶙峋岩石。

　　突然,前方某处的阴影散开,一只猫朝他走了过来。松鸦爪认出,这个笨拙无毛、两眼无神的身影是岩石。远古猫渐渐接近,踩在只有脚掌宽的岩石上,轻而易举地保持着平衡,仿佛他周围是大片无尽延伸的森林。

　　"我来了,正如你所说的那样。"松鸦爪抑制住声音的颤抖,"你告诉过我来山地,还记得吗?"

　　岩石摇摇头:"应该是你们三个。"

　　"是我们三个。"松鸦爪回答,并扭头望去,想看看能否发现狮爪和冬青爪,"一定是爬山的时候,我把他们落下了。他们没法——"

　　他的脚掌忽然在岩石边缘一滑,没说完的最后一个字随之变成恐惧的号叫。他疯狂地乱抓,却无法抓紧光滑的石头。他感

到自己不断下落,坠向阴影深处。

"快醒醒!"松鸦爪感到一只脚掌正在戳他的肋骨。是狮爪。"看在星族的分上,你扑腾得像一条垂死挣扎的鱼。"

他大大松了口气。此刻,他正安全地待在森林边缘临时搭建的窝里,狮爪就在他身旁。他嗅嗅空气,发现冬青爪也在附近,这让他更加放松下来。终于彻底摆脱了梦境的纠结。他挣扎着站起来,弓背伸了个长长的懒腰。黎明的寒意袭来,他能听到周围其他猫忙碌的动静。

"黑莓掌说我们可以捕猎了。"狮爪说,"但我们得快点儿。如果想在傍晚前赶到山地,那就还有一大段路要走。"

松鸦爪蹲伏在沾满露水的草地上,大口享用着一只野鼠。这时,他听到了褐皮的脚步声。"该出发了。"她宣布道。

他囫囵吞下最后几口鼠肉,加入了其他猫中。

"波弟,能再次和你同行真的非常美好。"黑莓掌说道,"我们要特别感谢你救了那些鼠脑袋的学徒。不过,我们不能再让你离家更远了。"

向波弟做了最后的道别后,猫群开始穿越树林。狮爪和冬青爪走在松鸦爪旁边,紧靠他两侧。太阳升上树梢,与以前不同的是,尽管他们只是在静静地行走,但气氛却越来越紧张。

忽然,冬青爪用尾巴拍了拍松鸦爪的肩膀,示意他停下来。阳光暖暖地照在他身上,飒飒的微风吹动他的胡须。他们一定是到了森林的另一头。

"太神奇了!"冬青爪低声说道。

"什么？"松鸦爪浑身不自在；因为看不到冬青爪感慨的东西，他很是烦躁。

"山。"狮爪的回答充满了敬畏，"太宏伟了！"

"是一道巨大的石壁。"冬青爪解释说，"除了一些岩缝里生长着野草，整片灰色的石壁非常陡峭、光滑，一直向上延伸！松鸦爪，真希望你也能看到。"

"我都看不到顶。"狮爪补充道，"它高耸入云。"

"家。"溪儿的低语声从前方传来。松鸦爪感受到了她语气里混杂的渴望与恐惧。其他部落猫也有同样的紧张感。他们一定很害怕等在前方的难题——在一个属于他们，而且仅仅属于他们的地方，面对入侵者。

"杀无尽部落。"无星之夜喃喃低语道，"他们在照看着我们，引导着我们前进的每一步。"

松鸦爪颤抖起来。在这里，我们还能得到星族的庇护吗？虽然他知道，总有一天，他将拥有比星族更强大的力量，可还是觉得自己的弱点正暴露于广袤的天空下。

"我们的时间控制得很好。"鹰爪说，"天黑之前，我们就能抵达我们的洞穴。"

"你确信吗？"松鼠飞充满怀疑地说，"别忘了，学徒们可不是经验丰富的攀登者。我们可不想整晚被晾在山上。"

"我们又要被这些学徒拖后腿吗？"鹰爪反唇相讥。

松鸦爪被他语调里的怒意气得毛发都竖了起来，尤其是他知道鹰爪说得没错。狮爪和冬青爪当时究竟在想什么呢，像那样

冲进两脚兽巢穴,不顾一切地冒险?

"学徒们会没事的。"暴毛平静地说,"我们能帮助他们。你意下如何啊,黑莓掌?"

短暂的沉默后,黑莓掌回答道:"好吧,我们走。"

松鸦爪跑到哥哥姐姐身旁,和他们一起穿过一片开阔地。渐渐的,地面开始向上倾斜,脚下的草地越来越稀疏,一些松脱的土块和着砂石,卡在他的爪间。很快,山坡变得异常陡峭起来,他不由得脚底打滑。

"老鼠屎!"他嘴里嘟囔着,脚下赶紧抓稳。

"这边。"松鼠飞的气味环绕着他。在母亲尾巴的指引下,他的脚掌终于踩到了坚实的岩石。

"我们可以顺着这条路走。"母亲说道,"那边会向下坠,所以,你要确保皮毛贴着另一侧的岩石。"

松鸦爪跟着褐皮,松鼠飞在他身后。他嗅出哥哥姐姐就在前边一点儿,于是感觉更加自信。这有点儿像是在爬高岩,或是去月池的路上。

我可以顺利地做到那些,在这里也会没事的。

可随着道路继续向上,在山间蜿蜒,他的信心开始衰退,脑海里反复浮现出母亲警告他可能落下山崖的一幕。他清楚,哪怕走错一步,自己就会坠入深渊。冷风呼啸,让他疲于保持稳定。岩石都很坚硬,他无法避开那些划破他脚掌的锋利石头。

突然,上方传来一声刺耳的尖叫。松鸦爪吓得脚下一磕绊,幸好松鼠飞用肩膀从侧面顶住了他,才让他重新站稳。

"那是什么？"他喘着气问道。

"是只老鹰。"母亲回答他，"它们很危险。不过刚才那只离得很远，不会来打扰我们的。"

"我还真希望它来。"暴毛在后边喊道，"那样的话，我们就都能好好吃上一顿了。"

松鼠飞轻柔地推推松鸦爪，示意他继续前进。可没走几步，他便听到头顶传来无星之夜的声音："等等！停下来，都停下来！"

松鸦爪停下脚步，鼻子碰到了褐皮的尾巴。"发生什么了？"他问。

"前方有一道裂谷。"黑莓掌的喊声在岩石间回荡，"我们得跳过去。"

松鸦爪感到十分害怕，四肢开始发颤，可他还是高昂着头，不想让部落猫看出自己的恐惧。松鼠飞推推他的腰部，这种无声的支持令他非常高兴。

"来吧，狮爪。"黑莓掌的声音再次传来，温暖而充满鼓励，"你曾经越过风族边界的河流，这儿并不比那里宽。"一阵短暂的沉寂后，他继续说道，"干得好！下一个是风爪。"

松鸦爪弯曲着脚掌，紧紧地抓住岩石地面，等待着轮到自己去跳。他讨厌这个地方，无法理解自己为何曾经希望能来。他原本期待找到梦中的场景，可相反，随风飘来的是陌生的气息。他也丝毫没有感觉到岩石或其他武士祖灵的出现。眼下这种无助的感觉令他愤怒。

恐惧感越发强烈。这时，他听到了褐皮鼓励冬青爪跳跃的声

音。"别往下看。"这只影族母猫说,"眼睛盯着黑莓掌。"

"我会没事的。"冬青爪紧张地回答。

过了一会,松鸦爪听到了狮爪发出的祝贺声,知道姐姐已经安全地跳了过去。褐皮的气味忽然减弱,这说明她也跃过了裂谷。此刻,他前面已经没有其他猫了。想到无底洞就在自己的脚跟前,他肩上的毛开始竖起来。

"现在,听我说。"松鼠飞紧靠在他身旁,"这道裂谷就在你前方两条狐狸尾巴远的地方,大概有三条尾巴宽。你原来也跳过这么远的距离。助跑三步,然后跳过去。"

"我就在这边,松鸦爪。"黑莓掌对他喊道,"你一跃过来,我就会接住你。"

"好的。"松鸦爪回答,并为自己的声音没有颤抖而感到自豪。他将浑身的肌肉绷紧。"我这就过来。"

他不让自己有丝毫犹豫,便猛冲向前,前掌离地,后腿猛蹬,跃入空中。那一刻,他心跳快得几乎无法承受。接着,他的脚掌砰的一声碰到了岩石。他摇摆着差点儿倒下,但狮爪用肩膀稳住了他。

"跳得漂亮!"哥哥对他说,"再稍加练习,你就能成为一只飞天猫了。"

"不可能。"松鸦爪嘟囔着站定下来,让自己缓过气,皮毛也重新平顺下来。

等到其他猫都跃过裂谷,松鸦爪已准备好继续出发。他不禁为自己叫好。这能让部落猫们瞧瞧,瞎猫究竟能不能完成征程!

现在,他感到脚下的路在高耸的石壁间向前延伸。虽然依然听得到头顶上方岩石间呼啸的风声,但身旁的气流却十分宁静。说话的回音,以及被脚步带起的碎石的撞击声显得异常响亮。

"最好保持安静。"鹰爪说道,"我们离得更近了,附近可能会有入侵者。"

道路自身似乎在蜿蜒缠绕。松鸦爪忽然听到了瀑布的汩汩声。随后,他趟过了一条浅浅的溪流。他又闻到了猎物的味道,肚子不禁咕咕叫起来。不过猎物的气味很淡,飘忽不定。他不明白,为什么会有猫愿意住在这种不适宜居住的地方,更奇怪的是,还会为了争夺它而战斗。

他听到风爪在问,他们是否能停下来捕猎,鸦羽斥责他说没有时间。"也许你想在这里过夜,可我不想! "

"等回到洞穴,就有新鲜猎物吃了。"溪儿说道。

松鸦爪不知道她说的是真是假。入侵者抢走他们所有的猎物,不正是他们遇到的麻烦吗? 他想推测过去了多长时间。太阳是不是已经落山了,在他们行走的岩缝中投满阴影?如果是在森林里, 有太多的信息能告诉他日落何时临近:风力和气味的变化,鸟叫的衰减,微光覆盖草叶时的那种清凉触感。可在这里,没有任何能指引他的东西。

岩石路开始向上倾斜,风又吹了起来,他们似乎已经爬出了山谷。忽然,松鸦爪听到头顶传来一声叫喊。

"狮爪,到这里来! 我能看到无穷远!"冬青爪显然非常激动。

无星之夜用力哼了一声。鹰爪怒吼道:"我说过,保持安静! "

"冬青爪,立刻下来。"松鼠飞命令道。

猫群停了下来。很快,冬青爪急促的脚步声和叫喊声再次响起:"对不起,我忘了。"松鸦爪并不认为她真的感到抱歉。她的兴奋之情溢于言表。"可那太令我敬畏了。你能看到整个世界!"

"要是你的喊声向入侵者发出了警报——"鹰爪欲言又止。

松鸦爪意识到有什么东西在接近。并不是他听到了声音,而是空气中的某种扰动告诉他有动静。"有东西正在靠近。"他小声说道。

"是他们。"鹰爪简短地回答。

"那我们最好离开这里。"黑莓掌发话了。

"太迟了。"无星之夜打断他,"聚到一起来。把学徒们围在中间。"

松鸦爪几乎是被鸦羽推着和其他猫一起移动。

"我们能战斗!"狮爪想要坚持。

"是的,你们不需要保护我们。"冬青爪随声附和。

风爪一言不发,只是不屑地咆哮一声。

武士们并没有太注意他们。松鸦爪发现,自己被挤在冬青爪和风爪之间,经验丰富的武士们围绕着他们形成了一个圈。冬青爪还在小声抱怨。

现在,松鸦爪能够听到脚爪与岩石接触的声音,并闻到陌生猫的气味。他估计,他们应该有三到四只。周围的武士们已发出充满攻击性的嘶鸣。

这时,一个奇怪的声音响起:"快瞧瞧,我们遇到了些什么?"

第十九章

　　冬青爪伸出爪子，绷紧肌肉，准备投入战斗。要不是她那样呼喊，或许他们能避开这些入侵者。但他们要面对的毕竟只有四只陌生猫。如果战斗打响，这些入侵者是不可能获胜的。他们可能曾经轻而易举地战胜了部落猫，但很快他们就会发现，跟训练有素的族群武士交手，绝对是一场噩梦！

　　开口说话的是一只体型庞大的公猫。他那银色的虎斑皮毛上泛着层层黑色条纹，一双透着傲慢的琥珀色眼睛懒洋洋地打量着每一只猫。他的三个同伴紧跟在他身后：一只是很瘦的浅棕色公猫，又大又尖的耳朵警觉地前后开阖；一只是深棕色与白色混杂的母猫，长着绿眼睛；最后一只是玳瑁色母猫，脸上的白色条纹犹如闪电。

　　"我以前见过你。"银色猫用嘲讽的口气对鹰爪说，"你们在离瀑布这么远的地方做什么？我还以为，你们不会再在这片土地上捕猎了呢。"

　　那只瘦瘦的棕色猫轻轻推了推他的肩膀："你觉得他们被吓坏了吗，银斑？"

银斑慢慢地眨了眨眼。"弗里克,也许你说对了。在我印象中,他们已经意识到,这附近的猎物都属于我们。"他伸出舌头舔过下巴,"今早吃的那只兔子实在是太棒了,又大又肥,我都吃不了。"

"你应该对猎物表现出更多的敬意!"鸦羽喝道。

弗里克啐了一口:"你是谁啊,胆敢教我们怎么做?"

鸦羽咧了咧嘴,露出牙齿,吼了一声:"想知道吗?"

黑莓掌用尾尖碰了碰风族武士的肩膀, 告诫他不要轻举妄动。"我们不是来打架的。"他低声说道。

鸦羽生气地瞟了他一眼,爪子死死地抓住坚硬的路面,尾巴也随之抽动,但并没说什么。

"你打算怎么对付他们,银斑?"瘦猫问道。

没等银色虎斑猫回答,无星之夜便上前一步。她愤怒地伸直腿,浑身的毛都竖立着。"你们没有权利对我们做任何事!"她嘶鸣着,"也没有权利来这里窃取我们的猎物。"

"权利?"棕白相间的母猫头一次开口,"那当初又是谁给你们的权利?"

"说得好,弗洛拉。"瘦猫偷笑着。

愤怒之中,冬青爪突然听到了棕白相间的母猫的这个问题。她已经准备好为部落而战了。这是部落猫的领地,受部落祖灵守护! 可弗洛拉的问题却没有答案。也许,部落猫根本就无权将入侵者驱逐出去。

"我们不是来找麻烦的。"黑莓掌将尾巴落在无星之夜的肩上,镇定地说,"我们只是要赶往瀑布。你应该让我们和平前行。"

银斑和弗里克交换了一个眼神,接着,银斑后退一步,用尾巴指指山谷:"我们没打算阻止你们。"

噢,不阻止?冬青爪心想。他们出现时就带着攻击性,挥舞着尾巴在岩石上跳跃,浑身的毛也蓬松开来。只不过现在,他们意识到面对的猫太多,不可能获胜。他们当然可以装模作样。但她清楚,要是遇上的仅仅只有部落猫,他们早就发起攻击了。

黑莓掌得体地微微点了点头,让队伍继续沿山谷前进。入侵者们看着他们离去,两只公猫眼里写满了嘲讽。冬青爪忽然与那只年轻的玳瑁色母猫的目光相遇,她站在其他猫身后注视着她,但没有说话。要是她也是一只族群猫的话,那就应该是个学徒。没准她会是我的朋友。

但风爪眼里看到的显然只有敌猫。从入侵者身边经过时,他猛地抽动尾巴,用力啐了口唾沫。

鸦羽立刻推了推他的腰部,催促他向前:"你是鼠脑袋吗?你想引起一场战斗吗?"

"那也是他们自找的。"风爪嘟哝道。

冬青爪注意到,狮爪的爪子依然没有缩回去,似乎随时准备扑向那些新出现的猫,只不过没有像风爪一样,把敌意表现得那么明显。

沿着山谷向上爬时,她总觉得入侵者的目光盯着她的后背,令她不安。等绕过一块突出的岩石,彻底甩掉他们时,她才舒了口气。与此同时,她感到周围的猫也都轻松了不少。

我以前见过你。我还以为，你们不会再来这里捕猎了。

我今天早上吃的兔子真不错啊。

你应该对猎物表现出更多的敬意！

我们不是来打架的。

你打算怎么对付他们，银斑？

你们无权对我们做任何事！

权利？那当初又是谁给你们的权利？

说得好，弗洛拉。

我们不想找麻烦，你们应该让我们过去。

我们没打算阻止你们。

"真可怕！"溪儿说道，"这些猫真的以为，他们能告诉我们该往哪里走吗？部落猫难道是被囚禁在自己的洞穴里了？"

"并没有那么糟。"无星之夜回答说。

"可他们认为能对我们发号施令！你还能外出捕猎吗？"

鹰爪走到溪儿旁边，说道："是的，入侵者变得越来越自负。他们现在已经直接到瀑布捕猎了。"

"他们知道部落无法阻止他们。"无星之夜苦涩地补充道。

"尖石巫师有什么想法？"溪儿问道。

鹰爪耸耸肩："他总是说，为了我们自己的安全，不应该向他们宣战。"

这样做有什么好处呢？冬青爪很好奇。尖石巫师是部落的首领，他总该做点儿什么！

溪儿摇摇头，放慢脚步，由他们继续前行，自己则走到暴毛身边。自从与那些入侵者相遇之后，这名灰色武士便一言不发，眼里充满了悲伤。冬青爪估计，他想起了自己率领部落进行的那场战斗，想起了那些在战斗中失去性命的猫。

太阳渐渐下山，天空中浮现出深红色的条纹。参差的山峰投射出浓浓的阴影，开阔地上的岩石仿佛沐浴在鲜血中。一想到自己可能会听到猫在战斗中死去的凄厉尖叫，冬青爪就忍不住打了个寒战。

一块破碎的岩脊堵住了山谷的入口。经过一番艰苦努力，冬青爪攀上石顶，目光所及之处，尽是裸露的岩石和万丈悬崖。一阵寒风袭来，她死死抓住岩石，保持住身体平衡。她无法想象，在

这种全是石头的荒地,猫能在哪里安然定居。

鹰爪走向岩脊的一端,低头看着一处平岩。"这边。"他喊道。

其他猫都跟了上去,可风爪却跳到另一边。"这条路看上去更近!"

冬青爪眼珠一转,心想,你压根儿就不知道自己要去哪里,鼠脑袋!

几乎同时, 那个风族学徒便发出了惊恐的呼喊。他向前一滑,脚爪乱抓,拼命想停下来。冬青爪看到,石块上有一处被影子遮住的深坑。

她正要猛扑上去帮忙,但鸦羽已从她身旁飞奔而过。他一口咬住风爪的尾巴,直到把他拖回安全地带,看着他站稳在岩脊顶上。

风爪疼得大叫:"你咬到我尾巴上的伤口了!"

"忍住! 鸦羽吼道,"下次卖弄技巧前,先考虑清楚。照着部落猫告诉你的去做。"

风爪瞪了父亲一眼,耷拉着脑袋和尾巴,跟到其他猫身后。

"真可惜啊。"风族学徒追上来时,狮爪说道,"我还想上前欣赏一下,你是如何排除万难跃到岩脊下的呢。"

"闭嘴,蠢毛球!"

"够了。"褐皮挤到两个学徒中间,"看在星族的分上,别再吵了。"

狮爪低声说:"对不起。"然后窘迫地舔了舔胸前的毛发。而风爪则没有搭理褐皮。冬青爪心想,他们都又累又饿,要是还不

197

能尽快抵达部落家园,他们的脾气就更容易爆发。

鹰爪带着大家来到了岩脊的尽头,一条一次仅能容许一只猫通行的小径由此向下延伸。排队等待的冬青爪听到头顶传来翅膀拍打的声音,一个黑色的影子从她头顶上空掠过。她吓得叫了一声,赶紧靠住岩石,发现母亲正将身体压在松鸦爪身上。

冬青爪怯生生地抬起头,看到一只棕色巨鸟正张开翅膀,掠过山脊,朝下边的岩石俯冲而来。它张开弯钩般的利爪,凶残地扑向不远处一只老鼠的尸体。冬青爪的肚子叫了起来。尽管族群猫不吃鸦食,可她实在太饿了,如果真让她吃那只老鼠,她也不会拒绝。

老鹰的爪子即将接触到那具软绵绵的尸体时,四只猫忽然从岩石的阴影里冲了出来,抓住了那只大鸟。这一幕把冬青爪惊得目瞪口呆。巨鸟发出刺耳的尖叫,疯狂地扑打翅膀,想要挣脱。它还试图腾空脱离地面,可拖拽住它的猫们体重太大了,它慌张地扇动翅膀,却再次撞上岩石。瘦弱的灰棕色猫群蜂拥而上。其中一只猫猛扑向它的脖子,一口咬了下去。最后一阵挣扎之后,老鹰瘫软下来。

"干得漂亮!"鹰爪高呼着。

四只猫一惊,赶紧抬头。其中一只猫脱口而出:"鹰爪!"他们面面相觑,声音有些吃惊,然后又看着岩脊上的猫群。

暴毛走上前,站在冬青爪旁边。"欢迎来到急水部落。"他说。

第二十章

鹰爪开始沿着小径，朝下边的岩石走去，狮爪跟在他身后。刚才捕杀老鹰的猫等候着他们，眼神十分警惕，尾巴不停地抽动着。

一只浅灰色猫迎上前，与鹰爪互蹭鼻子。"再见到你，非常高兴。"他的话里满是暖意。"还有你，无星之夜。"他对靠过来的黑色母猫喵道。

"谢谢你，灰濛。"鹰爪回答说。

狮爪狐疑地注视着部落猫。他们比大多数族群猫更瘦小，灰棕色的皮毛上涂抹着泥土，使他们几乎与岩石背景混为一体。他们的眼睛亮得奇怪，反射出落日的红光。其中一只猫转过身看着他时，他急忙朝松鼠飞靠近一步。母亲低下头舔了舔他的耳朵。狮爪忽然感到有些害臊。

我已经不再是只小猫了。

"况且，"他还对自己说，"我们来此是要帮助这些猫的。"

被鹰爪称为灰濛的那只猫，打量着跟在无星之夜身后下来的猫群。"暴毛！"他睁大眼睛喊了起来，"溪儿！你们怎么会在这

里？我还……我还以为你们死了。"

部落猫彼此贴得更紧，毛都立了起来。狮爪感到一阵激怒。尖石巫师宣布他们死亡，并不意味着他们就真的死了，不是吗？难道这些猫对他们首领所说的话从来都深信不疑吗？

暴毛看看溪儿，满脸厌倦。"不，我们没死。"他转过身对部落猫说道，"我们只是在外漂泊了一阵，仅此而已。"

那几只猫迈步上前，伸长脖子嗅闻暴毛的皮毛。一开始，他们提问的频率还不算快，但接着，问题就犹如断了线的珠子，越来越多。

"你们还好吗？"

"你们去哪里了？"

"你们为什么要回来？"

"是鹰爪和无星之夜来接我们的。"溪儿这才开口，"他们说，部落需要我们的帮助。"

部落猫交换着眼神，目光里充满迟疑。狮爪等着他们说，是的，谢谢你们，部落希望你们能回来帮忙。可他们没有这样说，而是把注意力转向了族群猫。

灰濛走近黑莓掌，小心地嗅闻他的气味："嘿，我以前见过你。你是几个季节以前从这里经过的那些猫中的一只。"

"是的。"黑莓掌点点头，"我也记得你……你是灰濛，对吧？"

"没错！"灰濛显然对黑莓掌能记住自己的名字感到惊讶，"你们……你们找到想要的家园了吗？"

"找到了，谢谢。"黑莓掌回答，"是个好地方，在一个湖边。"

灰濛把头扭向一边："那你们现在为什么来这里？你和其他猫都做了些什么？"

"我们来是因为——"褐皮才开口，就被溪儿警告的一瞥打断了，她烦躁地抽动着尾尖。

"他们只是路过。"溪儿解释道。

狮爪怒不可遏。冬青爪斜靠着他，在他耳边低声说："她不想说部落需要外来者的帮助，担心这样的话会触怒这些部落猫。很明显，她和暴毛起死回生已经够令他们震惊的了。"

但很明显，他们需要我们的帮助！这些猫简直瘦得只剩一副皮包骨，根本不是入侵者的对手。一想到银斑和弗里克嘲讽的面孔和傲慢的语调，狮爪就气得浑身发烫。

敌猫以为自己可以为所欲为，没有猫能阻止他们！

这时，落日的余晖开始隐退，山地笼罩在昏暗之中。鹰爪舞动着尾巴，示意远征队继续行动。

"稍后洞里见，灰濛。"他语气坚定地说。这清楚地表明，他现在不会再回答任何问题。

部落猫回到他们的猎物旁，拖着它在岩石间穿行。老鹰的羽毛在石头上发出轻柔的沙沙声。狮爪从这只鸟身边经过时，躲得远远的。虽然它已经死了，可他还是不喜欢它那锋利如钩的爪子，也不愿看到那仿佛瞪着自己的晶亮如珠的眼睛。

狮爪和小伙伴们经过一处高岩时，听到了某种雷鸣般的声响。于是他抬头张望。天空晴朗，峰顶上的星星也开始闪烁。轰鸣声越来越大，空气也越来越潮湿，最终，湿气开始在狮爪的毛

发上凝结,形成水珠。

他们已接近高岩边缘。冬青爪跑向前,朝下边打量着。"快来看这个!"她喊道。

狮爪蹦向她,接着一个急停,并扭头确认松鸦爪没有靠近岩边。岩石在他面前消失,变成一道陡然向下延伸的狭窄曲折的山谷。一条河流在谷底翻滚奔流,溅起的水花撞击着两岸的岩石,水流在紧靠岸边的零散灌木丛根部形成一个个旋涡。

"这就是从瀑布流出来的水。"松鼠飞提高嗓音,并用尾巴指了指,"我们就要到了。"

鹰爪还是在前边带路,他顺着岩石下到河边。岩石间有条窄得像黑莓丛似的小径,一直延伸到水边。"注意踩稳。"他喊道。

"还记得我们第一次到这里来吗?"松鼠飞问黑莓掌。

虎斑公猫的胡须抽搐着:"永生难忘!"

"那是从太阳沉没之地返回的路上。"松鼠飞向学徒们解释,"雨下得很大,汹涌的洪水把我们卷入河中。我们被冲到瀑布里,最后在瀑布下的水池中停了下来。"

"我当时还以为,自己肯定要加入星族的行列了呢。"暴毛补充道。他停下来盯着河水看了好一阵子,才小心翼翼地朝岩坡探出爪子。

松鼠飞跟上暴毛,又回过头来补充说:"看看这次我们能不能不湿脚就过去。来吧,松鸦爪,跟紧我的尾巴,我走哪儿你就走哪儿。"

众猫排成一列,静静地蹑足沿着河边行走,直到抵达瀑布的

202

顶部。这回连风爪都小心翼翼,严格遵照经验丰富的部落猫指点的方向前行。

来到山谷尽头,狮爪停下脚步,低头看着奔腾的河水飞流直下,落入下面的水池中。空气里弥漫着水雾,岩石也因此格外湿滑。

"松鸦爪该怎么下去啊?"他低声对冬青爪说。

妹妹忧心忡忡地摇着头:"他永远也下不去。"

这时,狮爪听到一声不满的叫喊声。黑莓掌已经咬住松鸦爪的颈背,像对待幼崽一样叼起这只年轻的猫,让他四脚悬空。然后,他开始朝下边走去。

"我自己能行!"松鸦爪气恼地喊道。

松鼠飞已经安全地走下去了,正挥动尾尖注视着上面。"安静点儿,否则我就亲自把你扔到水池里去。"她警告道。

狮爪凑近冬青爪,耳语道:"以后千万别跟松鸦爪提起这件事,否则,他会把我们变成鸦食的。"

妹妹冲他飞快地点了点头,然后迈步朝下走去。狮爪跟上她。现在,他身后只剩下褐皮了。他努力地在湿滑的石头上寻找坚实的落脚点,心跳快得让他很不舒服。忽然,他脚下一滑,后半身无助地悬在雷鸣般的水面上。他挣扎着想要爬上去。褐皮赶紧一口咬住他的肩膀,将他拖回安全区域。

"谢谢。"狮爪上气不接下气地说。

褐皮动了动耳朵,但没有说话。

狮爪终于走完最后一步,踏上了水池旁的地面,心里涌起从

未有过的感激。谢天谢地。他的腿在颤抖,毛发已被水沫淋得湿透了,可他打心眼里感到骄傲,仿佛自己已经变得更加强大了。没有什么能阻止族群猫,哪怕是必须爬到瀑布下面。很快,他们就会解决那些卑鄙的入侵者,让他们看看,谁才应该在山地捕猎。毫无疑问,部落猫无法应付这些。从他的所见来看,他们太过瘦小,不具备真正的战斗能力。鹰爪和无星之夜向族群求助是正确的。他们才是急水部落唯一的救星。

几只部落猫正躲在水池周围的岩石后,紧张地窥视着新来的猫群。狮爪尽量装作没注意到他们。他不愿被那种怀疑与好奇的目光打量,就好像自己是只奇怪的虫子一样。族群猫艰苦跋涉,来这里伸出援手,这些猫应该表现得更加感恩一些!

鸦羽踏步离开队伍,来到水池的另一边,在一棵歪脖子树下的石堆旁坐下,低头鞠躬。

"鸦羽在做什么啊?"狮爪问道。

"羽尾就埋在那里。"褐皮解释道。

狮爪盯着那只蜷伏在石堆旁的瘦小的灰黑色猫,说道:"鸦羽为什么会如此哀伤?他们并非来自相同的族群……"

"鸦羽爱她。"褐皮语气平缓地说,"为了救他,也为了救部落,羽尾被尖牙杀死了。"

狮爪心里渐渐地有些明白了,仿佛一只老鼠小心翼翼地从一堆树叶中钻了出来。或许失去羽尾是风族猫脾气一直不好的原因。他注意到,风爪眯缝着眼,嫉妒地看着父亲。狮爪第一次对他产生了巨大的同情。他不清楚,如果黑莓掌为了一只死去多年的猫如此悲伤,而不是为了松鼠飞,他会有何感想。

"来吧。"鹰爪的声音打断了他的思绪,"是时候踏上急水之路了。"他绕着水池边缘前进,跃上急水之路最前面的几块石头。

当他消失在水幕之后时,狮爪惊讶得睁大了眼睛。"他去哪里了?"

褐皮用尾巴碰了碰他的肩膀:"你会知道的。"

狮爪爬上鹰爪消失前站的那块滑溜溜的石头,来到冬青爪、松鸦爪和松鼠飞身旁。他们正处于一块直通瀑布后边的岩石边缘。另一端是一个可怕的黑洞。狮爪顿时毛发倒竖。

"跟我来。"松鼠飞对松鸦爪说,"身子紧贴岩石。"

松鸦爪还在为被父亲叼到瀑布下而感到闷闷不乐,嘴里不停地嘟囔着什么,但狮爪听不清。

松鼠飞率先迈开步伐,身子贴着岩壁,精准地沿直线前进。松鸦爪跟着她,狮爪赶紧跟上,随时准备在弟弟失足时抓住他。

水流砰然而过,狮爪耳朵里阵阵轰鸣,毛发也被冰冷的水滴打湿。他确信,这水流能将他冲下水池。夜晚昏暗的光线,使他很难将松鸦爪的黑毛与湿漉漉的岩石区分开来。潮湿的空气冲淡了同伴们的气味。也许,这条路上已经只剩下他一个,他可能独自投入接下来的黑暗中,永远无法返回。

"就是这里。"他听到松鸦爪在咕哝,"这就是我们要到的地方。"

狮爪不知道他说的是什么意思——此刻,他从未有过地坚信,自己应该属于头顶有树,脚下有草的地方。他深吸一口气,迈

入豁口，发现自己正站在一个洞穴的入口处。从身后瀑布渗透进来的暗淡光线已经消失无踪，两侧陡峭的石壁也变成黑影。

狮爪眨眨眼，继续向前。当他走进狭窄的入口后，瀑布的轰鸣声随之减弱。冬青爪和松鸦爪站在他两侧，前者正惊讶地环顾四周，后者则紧张得瑟瑟发抖。

黑莓掌、鹰爪和松鼠飞已经站在洞穴深处。他们周围是部落猫群，一个个瘦小的棕灰色身影蜷伏在地上盯着他们，似乎都不敢上前迎接这些刚刚到来的猫。所有的部落猫看上去都瘦弱而焦虑。

别担心，狮爪心想。现在我们来了，一切都会好起来的。

这时，一只棕色虎斑公猫从洞穴深处的阴影中现身出来。他非常瘦弱，简直是骨瘦如柴，而且一定是上了年纪，因为口鼻处一片花白。他那双琥珀色的眼睛在昏暗的环境中放射着光芒。

黑莓掌充满敬意地向他点头："你好，尖石巫师。"

狮爪的爪子不安地在坚硬的地面上抓挠着，他在等待那只老猫对他们表示欢迎。他们得赶紧开始制定计划，驱除入侵者。

尖石巫师显然在犹豫，琥珀色的双眼扫过每一只新来的猫，脖子上和肩膀上稀疏的毛渐渐立了起来。

"你们怎么敢到这里来？"他大声吼道。

第二十一章

　　狮爪难以置信地瞪大了眼睛。尖石巫师不想他们来这里！他真是个十足的鼠脑袋吗？

　　突然，部落首领转身看着鹰爪和无星之夜。"你们干什么去了？"他喝问道。

　　狮爪看到鹰爪紧张地吞咽着。"我们……我们去找族群猫了。"他结结巴巴地说，一只脚掌紧张地刨着洞底的地面，"我们把援军带回来了……"

　　"我们认为这是最好的办法。"无星之夜补充说。

　　"你们错了！"尖石巫师的声音不高，但狂怒得发颤，"在部落最需要你们去捕猎的时候，你们却抛弃了它。你们把我们的软弱告诉族群猫，还带来这么多张吃食的嘴。族群猫怎么敢踏入我们的洞穴？你们在这里不受欢迎！"

　　暴毛和溪儿本来是跟在狮爪和其他学徒后面进入洞穴的。现在，他们向前走去，一直走到尖石巫师面前。老猫眯起眼睛说："你们已经死了！"

　　暴毛没有退缩："不，我们没死。无论你怎样想，我们仍然忠

实于急水部落。"

"我们必须帮助部落。"溪儿恳求老猫的理解。

但尖石巫师的目光和他身边的石头一样冷:"我有足够的理由把你们从山地驱逐出去。你们以为我是闹着玩的吗?不,是我们的祖灵要赶你们走。"

"那就是祖灵错了。"溪儿琥珀色的眼睛里闪着光,"急水部落的命运比我们离开时更糟糕,入侵者更嚣张了,我们来这里的路上就碰到了一群。他们已经完全把这些山当成了自己的领地,如果他们愿意,随时可以把我们驱逐出去。"

"我们是来帮忙的。"暴毛坚持说道,"部落需要我们。"

"需要你?"尖石巫师的嘲讽声在山洞中回响,"你认为自己有什么本事吗?因为你,我们已经死了很多猫,流了很多血。你告诉部落说,只需展示一下我们的力量,就能保护领地,可那没起作用。"

黑莓掌上前一步,站到暴毛旁边说道:"那是因为你们以前就没有领地。你们需要先把边界标示出来。"

"我们从未标示过什么边界!"尖石巫师厉声说道,"急水部落从不那样做。暴毛知道这一点。"

暴毛点了点头。狮爪和冬青爪交换了一个眼神,他在妹妹眼里看到了自己的愤怒。这只老猫怎么可以这样愚蠢,先是把暴毛赶出部落,现在人家主动回来帮忙,他居然还拒绝?

"暴毛做了他认为最应该做的事。"松鼠飞插话说,绿色的眼睛里闪着愤怒的光,"鹰爪和无星之夜也一样。求助没什么可耻

的。或者，你宁可因为自己的过分骄傲而让部落猫付出生命代价？"

尖石巫师向这只姜黄色母猫走近一步，脖子上的毛竖立起来。狮爪立即绷紧肌肉。如果这个部落首领胆敢侵犯他的母亲，他会马上扑过去。

但老猫的尾巴耷拉下来，肩膀上的毛也开始平伏下去。"杀无尽部落没有向我传递过不准接受族群猫帮助的信息。"他又转身看着黑莓掌，补充说，"我无意冒犯你和你的同伴。我知道过去多亏了你们，也相信你们现在的好意。"

黑莓掌刚要开口说话，尖石巫师便竖起尾巴，示意他别出声。"你们不应该来。"他继续说道，"这不是族群猫的战斗。你们可以在这里住一夜，但天亮之后，我们就把你们送到山边，你们不准再回来。"

"那你打算怎样阻止族猫再回来呢？"风爪在狮爪身后咆哮道。

狮爪这次没有反驳这个风族学徒。急水部落已经没有力量按尖石巫师的指令行事了。不过，他猜测，黑莓掌也不会愿意留在任何不欢迎族群猫的地方。

"那我们呢？"溪儿问道。

尖石巫师转身看着她："我们无力多喂养两只饥肠辘辘的猫。"

那就这样了吗？狮爪惊愕地愣住了，脚掌紧抓地面，身上的每一根毛都在颤抖。难道我们就这样掉头回家，甚至连爪子都不

动一下？他正要张嘴抗议，但看到黑莓掌警告地瞥了他一眼，于是急忙把嘴闭上了。

黑莓掌走过去，严厉地看着四名学徒说："我们是急水部落的客人，一定不能惹麻烦。"

"甚至那只愚蠢的——"

"对。"黑莓掌叹息一声，"我和你们一样失望，但我们不能把事情搞得更糟。大家都明白了吗？"

"好吧，如果你这样说……"狮爪不情愿地说道。冬青爪和松鸦爪赞同地点点头，甚至连风爪也嘟哝道："看来只有这样了。"

一只灰色和棕色相间的部落母猫从洞那边向他们走过来。"黑莓掌，你好啊。"她招呼道，"还记得我吗？"

黑莓掌把头偏向一边："飞鸟。我和鹰爪第一次见面时，你和他在一起。"

"没错，"飞鸟说道，"真高兴，我们又见面了。尖石巫师让我给你们找今晚睡觉的地方。你和你的武士们跟我去护穴猫的住处吧。"——她用尾巴指指洞的另一边——"你的学徒们可以和半大猫一起睡。"

狮爪浑身一紧，不知道尖石巫师是不是想把族群猫分开，以便更容易袭击他们，但黑莓掌平静地同意了。其实狮爪凭常识也知道，如果一大群猫到雷族营地借宿，他们也同样会这样做。

飞鸟带领学徒往洞里走的时候，狮爪伸长脖子四处打量着。这时，天黑了，月亮已经升起来，给瀑布披上了一层银光，洞中也洒满了柔和的月光。他看到洞边有散落的岩石，时而还能看到洞

壁上有裂缝,通往一些狭窄的壁架。爪子般尖尖的石头从高高的洞顶上悬吊下来,直指洞底。

空气中飘来新鲜猎物的气味,他的肚子咕咕地叫了起来。洞的另一边,灰濛和他的捕猎队正把捕回的鹰撕成小块。真希望他们能给我们一点儿,狮爪心想。他的上一餐还是在森林中吃的,但那好像已经是几个季节以前的事了。猎物堆上已经没剩多少东西了:几只老鼠和一只兔子。难怪他们都这么瘦!

飞鸟把他们带到洞的里端,那里有几个地洞伸向黑暗之中。不远处,两只小猫正在摔跤,三、四只小猫在旁边观看。

"那些就是半大猫。"飞鸟说。

那两只摔跤的猫放开对方,从地上站起来,看着这些外来者。"他们是谁?"一只灰色母猫问道,"是战俘吗?"

"不是,滚石,他们是客人。"飞鸟回答说,"他们今晚住在这里。照顾好他们,找个地方给他们睡觉。"

"什么,四只都要睡在这里?"一只黑色公猫惊叫道,"没地方啦。"

那只灰色母猫狠狠地推了他一掌。"别不懂礼貌!"她又对族群学徒补充说,"你们别理怒枭。谁都知道他是个棒槌脑袋。"

"你才是棒槌脑袋!"怒枭嘀咕道。

"你们住一晚上没问题。"飞鸟急忙说。她友好地向族群猫点点头,回洞穴那头去了,黑莓掌和其他猫还在那边等着她。

那些半大猫跑过来围住狮爪和其他学徒,好奇地嗅闻他们。狮爪觉得很尴尬。"我是狮爪。"他说,尽量让声音显得自信,"这

是我妹妹冬青爪和弟弟松鸦爪,那是风爪。"

灰色母猫点点头,伸出一只脚掌。这个动作让狮爪大吃一惊。不过他不得不承认,这动作看上去显得很有礼貌。"我是滚石,"她自我介绍说,"这个讨厌的毛球是我的弟弟怒枭。"

怒枭冲姐姐撅撅嘴巴,然后同样伸出脚掌,做出那个礼貌的动作。狮爪微微点头回礼,希望这些半大部落猫别以为他和其他学徒没接受过良好教育。

"我是鱼跃斑。"一只小虎斑母猫跳起来说道,粗短的尾巴直直竖起。其他半大猫退到后面,怀疑地看着外来者。

"你们一定从很远的地方来。"滚石说道,"我以前从未闻到过你们身上的气味。"

冬青爪开始讲述,鹰爪和无星之夜是怎样去请他们来帮忙的。但她刚讲到远征开始,就被那群狩猎猫打断了。他们正向这边走来,嘴里叼着被撕成小块的鹰肉。

灰濛把嘴里的食物放在半大猫面前,说道:"吃吧。够你们大家吃了。"

"谢谢。"怒枭用舌头舔着嘴唇。然后,他又低声对族群猫补充说:"这是我们很长时间以来,吃的第一顿像样的饭。"

"入侵者把我们的猎物都偷走了。"滚石难过地解释说,"他们偷看我们捕猎,现在也学会在山地猎食了。哪有那么多鹰可以捕啊。"

"等我成了狩猎猫,"怒枭夸口道,"便很快就能为全部落的猫捕到足够的食物了。"

"哼,恐怕那时鹰都学会说话了!"他的姐姐呵斥道。

狮爪生怕必须等到姐弟俩吵完了才能吃东西。"我们觉得这真的很奇怪。"他想分散他们的注意力,"我们不像你们这样分工。我们既要捕猎,又要打仗。"

"你们不可能天生就会吧?"怒枭说道,"学那么多东西,一定很难。"

"是很难。"狮爪吃惊地听到冬青爪竟然同意怒枭的话,"不过,也很有趣。"

"尖石巫师会决定我们做什么。"滚石对冬青爪说,"看上去身强体壮的幼崽成为护穴猫,跑得快、跳得高的成为狩猎猫。我将成为护穴猫。"

好啦,知道了,我们什么时候才能吃东西啊? 狮爪的肚子开始抗议地叫唤起来。这些他都知道,因为溪儿在雷族时就告诉过他们。

幸好,滚石和其他半大猫开始分吃猎物了。半大部落猫两只一组,每只猫咬一口分到的猎物,然后交给另一只猫。

"也许我们也该这样。"冬青爪悄悄地说,"不然,他们会认为我们没礼貌。"

"好吧。"狮爪说道,"你和松鸦爪分食,我和风爪分。"

"分什么啊? "松鸦爪不耐烦地问道,"猎物就是猎物。快吃吧。"

冬青爪伏在松鸦爪耳边,向他解释情况。狮爪想到要吃风爪咬过的猎物,好不容易才忍住没有做鬼脸。

　　滚石本来正在狼吞虎咽,这时,她从猎物上抬起头来,问道:"她为什么要向你弟弟解释啊?他不能自己学着像我们这样做吗?"

　　狮爪不安地看着弟弟。他知道,只要有猫当松鸦爪不存在似的说起他时,他都很生气。"嗯,因为他看不见。"

　　滚石的眼睛一下子睁大了:"哇,这太奇怪了。"

　　"那他平时怎样生活呢?"怒枭好奇地问道,"你们必须拉着他的尾巴到处走吗?"

　　狮爪看到弟弟的耳朵竖起来,爪子伸缩着,但冬青爪用尾巴在他口鼻处拍了一下。松鸦爪恼怒地啐了一口,把嘴里的毛吐了出来。

　　"他眼睛看不见,但耳朵很灵敏。"狮爪说道,弟弟的行为让他恼怒,但他不想吵架。"他的生活能够自理。你以前没见过瞎猫吗?"

　　"没见过。"滚石回答道,仿佛狮爪问这个问题很愚蠢,"你们的族猫怎么敢让他自己四处走啊?"

　　狮爪明白了她的意思,不禁一愣。瞎猫在这个到处乱石林立的地方的确走不远,即使不被老鹰抓走,也可能会滚下悬崖。

　　"松鸦爪还在接受巫医训练呢。"冬青爪插话说,声音里有替弟弟辩护的意思。

　　听到这话,滚石看上去更惊讶了。几乎所有半大猫的耳朵都竖了起来。

　　"不可能!"怒枭惊声叫道,"瞎猫怎么可能成为你们族群的

首领？"

什么？狮爪和冬青爪交换了一个眼神："他不会当族长的。"

"但你……哦，我明白了！"滚石脸上的疑惑顿时消失了，"尖石巫师就是我们的巫医，由他挑选哪只猫来接替他的职位。但估计你们的方式不同。"

"我们既有族长，又有巫医。"风爪自豪地解释说。

"奇怪……"怒枭嘀咕道。

狮爪心想：你们的方式其实更奇怪。没有巫医当顾问，尖石巫师怎能做出明智的决定呢？看上去，他好像连副族长都没有。如果不是每只部落猫都那么相信，必须严格按尖石巫师所说的去做，也许他们还能自己想办法解决入侵者的问题呢。

"嘿，你们怎么样啦？"

听到松鼠飞的声音，狮爪一跳而起，因为她是悄悄走到他身后的。"很好，谢谢。"他想让自己的声音听上去更有说服力。

"很好。但我认为你们应该好好地睡一觉。看样子，我们明天要走很远的路。"

狮爪吞下最后一口老鹰肉，抬眼看着母亲。松鼠飞看上去不像平时那样开心，尾巴拖在地上，眼神焦虑。他猜想，母亲一定觉得，他们大老远跑来，却只能无功而返，犯了个巨大的错误。他抬起头，用鼻子摩挲母亲的鼻子，希望这样能安慰她，并希望能告诉她，这些愚蠢的部落猫应该欣然接受他们的帮助。但当着所有半大部落猫的面，他不可能那样说。

"好的。"他说道，"我们明天早上见。"

松鼠飞用尾巴碰碰他的肩膀，又伸过头来，在冬青爪和松鸦爪耳朵上轻轻舔了一下，然后慢慢走开。狮爪目送母亲走过洞穴，看着她向其他武士那边走去，他心里非常希望可以和她在一起，而不是和这群陌生的半大猫一起睡觉。

"走吧。"滚石说着，用尾巴碰碰他的耳朵，"我带你们去睡觉的地方。"

她把学徒们带到了洞边的一个地方，那里有几个浅浅的坑，坑里铺着苔藓和羽毛，很暖和。

"随便挑个地方睡吧。"滚石热情地说。

狮爪、冬青爪以及松鸦爪在一个较大的坑里蜷缩起来。至少，睡觉的地方还是很舒适的。一时间，他还以为，他们已经回到雷族育婴室里了呢。但在育婴室里，他从来没有这么多要担心的事情，也从来不会睡不着。

他躺在坑里，眯起眼睛，看着洞壁上不停变幻的摇曳光线，听着瀑布永无休止的流水声。过去，他经常站在山顶看山下的湖，感觉自己无所不能。但现在，仿佛一切都结束了。他们的远征毫无结果。这些行为奇怪、骄傲自大的猫竟然拒绝接受族群猫的帮助，不让他们伸出援手。

狮爪长叹一声。长久以来，他一直渴望踏上这次旅程，想亲眼看看山地。现在，他终于来到山地了，却只想回家。

第二十二章

　　松鸦爪听到了哥哥的叹息声，感到失望像波浪拍打湖岸一样席卷全身。冬青爪睡着之前，他感觉到她也一样失望，但他没对她说什么。他们已经长途跋涉来到山地，对他来说，这才是最重要的。松鸦爪现在唯一担心的是，在还没弄清楚这里的待解之谜之前，他就会被迫回家。

　　他躺在温暖的窝里，想象着洞穴的样子。他能从瀑布的声音判断出它所在的位置，能从部落猫的气味判断出他们睡在哪里。他发现，护穴猫和狩猎猫不同，就像族群和部落不同一样。

　　在所有这些气味之中，他还能感觉出部落猫的恐惧和脆弱，他们身处这种无法自控的境况之中，真是可怜。而且，他们已经绝望透顶，仿佛已经准备放弃在山地生存的权利。

　　松鸦爪心想：他们的祖灵在哪儿？杀无尽部落为什么不帮他们一下呢？

　　尖石巫师的形象在他心中升起。他进入溪儿的记忆时，看到了战斗的经过以及暴毛被驱逐的过程，看到了那只灰白色的虎斑猫。瀑布的怒吼声更大了，在他耳朵中轰鸣。突然间，他的眼睛

217

睁开了。他正站在露出地面的岩层上，就是之前见到远古猫岩石的地方。头顶上方，星星冷冷地高挂在天空，冰冷的风吹拂着皮毛。尖石巫师正站在不远处，背对着他。

松鸦爪急忙冲到一块岩石的阴影中，悄悄地向外张望。石脊上，另一只猫走了过来，是一只身形瘦长的虎斑猫，与大多数部落猫相似，但皮毛上闪着星光。松鸦爪藏到阴影深处。这一定是部落猫的祖灵之一，是从杀无尽部落来的。他好奇地想：如果这里是部落猫的圣地，那么在他早前做过的梦中，岩石为什么要把他带到这里来呢？

尖石巫师一直等到那个祖灵走到离他很近的地方时，才点了点头。"您好！"他说道，"您来向我传达什么指令？"

那个祖灵没有马上回答。松鸦爪觉得，他看上去一副被打败的样子，仿佛杀无尽部落已厌倦了打仗，准备放弃。

"我没带来什么指令。"祖灵终于回答说，"有史以来，部落从没有过无休止的战斗。以前，这些山一直被保护得很好。"他叹息一声，仿佛一阵微风从岩石上吹过，"我们看不到这场战斗会有结束的那一天。"

"必须结束！"尖石巫师反驳道，"我的部落猫正在死去。我们一定能做点儿什么。"

那位祖灵摇摇头。"这次不行。"他难过地说道，"我们还以为，这里是个安全的地方，但其实不是。"说完，他转过身去，迈步走开，慢慢地消失在阴影之中。

"等等！"尖石巫师摆动着尾巴，上前一步，但又停下了，懊丧

地低下头。他仿佛已经精疲力竭，无法继续站立，摇摇晃晃地走
到一块突出的岩石下，颓然倒下，闭上眼睛。

松鸦爪立即从隐蔽处跳起来，顺着石脊冲过去，丝毫不顾两
边都是悬崖。片刻之后，那个祖灵的影子从阴影中重新出现，仍
然缓缓地挪动着脚步。

"等等我！"松鸦爪喊道。

祖灵停下脚步，回过头来。看到松鸦爪时，他的耳朵直立起
来，眼睛也惊愕地睁大了。"你来了。"他低声说道。

松鸦爪凝视着他。他是什么意思？杀无尽部落怎么可能认识
他，一只之前从未来过山地的族群猫？

他还没来得及说什么，那只猫就又说话了："跟我来。"

松鸦爪紧张地吞咽着。他没想到会是这样，但他现在已经在
这里了，而且有许多需要找到答案的问题。他几乎是身不由己地
迈着脚步。祖灵走完石脊上的最后几步，踏上浓浓阴影中的一条
小路。

与岩石上的光线相比，狭窄小路显得很暗，在岩壁上呈之字
形向下延伸。在微弱的星光下，松鸦爪看不清下面有什么。他心
想，但至少我能够看见。再怎么说，这也不会比昨天的旅程更糟
糕，我不会丢脸地像小猫那样要别的猫叼着走。他紧贴着岩石，
尽量不去想悬崖有多高，掉下去会摔多远。

祖灵不急不忙地在前面走着，步伐始终如一。时不时的，他
会回过头来，看看松鸦爪是否还跟在后面。最后，他停下脚步，用
尾巴示意松鸦爪跟上，然后纵身一跳便消失了。

WARRIORS
猫武士

　　松鸦爪用爪子紧紧抓住岩石表面。这位祖灵难道要他也跳进阴影之中？那样即使不被摔死，也会把梦境打破。他还不想醒过来，因为，他还没找到机会与这位祖灵交谈呢，但当他往悬崖下看去时，却发现下面不远处就是坚实的地面。他轻松地跳了下去，仔细地打量着四周。

　　那位祖灵带着他来到了一个石头山谷的底部，有点儿像雷族营地，只不过四面的石壁都很陡，而且高出很多，好像只能从他们刚才走的那条小路上下来。石头山谷中间是个水池，几乎占满了山谷的底部。水面上倒映着点点星光，让松鸦爪想到了月池，只不过，这个水池大得多，而且这里听不到瀑布的流水声。相反，池中的水静止不动，石头山谷中也出奇地安静。

　　松鸦爪眨眨眼睛。刚才他以为水池中反射的是星光，但其实是坐在池边的一排排满身星光的猫。或者，这些猫是刚刚出现的？他环顾四周，不禁颤抖起来。他现在已经熟悉星族猫了，但从未想过有一天会见到并非自己祖灵的猫。

　　有些猫的身影几乎看不见，仿佛他们已经太老，就要完全消失了。其他猫身上亮些，还有一些猫身上留有战斗的伤痕，鲜血还在渗出，仿佛刚刚加入杀无尽部落。

　　松鸦爪一动不动地站在那里。一只远古猫站起来，走到离他足够近的地方，嗅了嗅他。松鸦爪能够透过他身体的轮廓看到池中的水。"我们听说你要来。"那只远古猫低声说道。他的声音很模糊，仿佛隔着一季又一季的时空在说话。"但我们没想到，你会来得这么快。"

快？松鸦爪几乎不能想象，这些老猫所说的"快"是什么意思。显然，他们已经等了好几生的时间。

"你说的是预言吗？"他问道。

"是的。"那只老猫缓缓地说出这两个字，"会来三只猫，是一只皮毛似火的猫的至亲，掌握着星族的力量。"

松鸦爪的心咚咚地跳起来。他们知道！他们知道！星族也知道！他们等我们多久了？

"另外两只猫在哪儿？"那只远古猫问道。

"在部落的洞穴中。"松鸦爪不想承认，他还没有把预言告诉过哥哥姐姐。"这个预言是怎么来的？"他低声问道。

那只远古猫没有回答。相反，池边稍远处一只更亮的猫说话了。"你为什么带他来这里？"她问那只带松鸦爪到悬崖下面来的虎斑猫，"他不属于我们。"

其他一些猫低声赞同。他们凝视着他，闪亮的眼中充满敌意。松鸦爪很想冲向那条通往石脊的小路，但他拼命抑制住了自己。

我想去哪里就去哪里。他心想，并挑衅地抬起头。如果我不属于这儿，我就不会来这里。也许我比尖石巫师更能帮助急水部落……

"你们得把这个信息传到急水部落去。"他说道，"告诉他们，族群猫是来帮他们驱逐入侵者的。"

那些远古猫面面相觑，然后摇摇头。刚才说话的那只很亮的母猫站了起来："急水部落不需要帮助。"

"你怎么能这样说呢？"松鸦爪惊讶地问道，"部落里的猫都要饿死了。"

"我们已经无能为力。"从石脊上带松鸦爪下来的那只远古猫惭愧地低下头，"我们失败了。"

"山地已经不再安全。"另一只猫嘀咕道，"我们信任急水部落，以为他们可以保护我们，但部落让我们失望了。"

松鸦爪感觉到了远古猫深重的惭愧，也能体会到他们被辜负的无奈，一时无语。他想摆脱这种沮丧，让自己的头脑重新清醒起来。

"部落不能这么轻易就屈服。"他坚持说道，"他们必须通过战斗来保卫自己。"

那两只新伤未愈的猫从座位上站起来，顺着水池边走到松鸦爪面前。第一只猫看着腰上深深的伤口说道："我们都死在战斗中。一定不能再流血了。部落猫不相信战斗能解决问题。"

松鸦爪抽抽尾巴："但入侵者相信。无论部落猫是否接受，我们族群猫都会帮助他们。"

另一只伤猫上前一步，脖子上的毛直立着："帮助部落猫的唯一办法，是让部落更像一个族群，而这是他们不愿意的。部落猫不喜欢打仗或杀戮。"

"情况是会变的。"松鸦爪抽抽耳朵说道。

"但不总是向更好的方向变化。"那只远古猫反诘道。

这些话在松鸦爪耳朵里回响，仿佛一层薄雾从水池上升起，在他周围旋转。薄雾渐渐浓密起来，直到他再也无法看到杀无尽

部落。松鸦爪意识到,自己已经回到洞穴中,冬青爪正把他从睡梦中推醒。

"快走啦。"她催促道,"尖石巫师召集开会。所有的猫都在洞中央集合了。"

松鸦爪东倒西歪地爬起来。山中的石头山谷、周围坐满星光猫的水池,好像都比这个他从未见过的山洞更真实。

"好的,你们先走。"他嘟哝道,"我马上就来。"

他循着冬青爪和狮爪的气味,跟在他们身后,爬出睡觉的小石坑,走过洞穴,与其他族群猫会合,并在他们身边找到一个座位。他在冰凉的石头上坐下来,耳朵里回响着族群猫和部落猫的低语声,这感觉很不舒服,于是他不停地移动着身子。

突然,嘈杂声停止了。松鸦爪想象着,他在梦中看到过的那只瘦骨嶙峋的老猫出现在大家面前,也许跳到了他驱逐暴毛时站的那块大石头上。他想:只能这样了,我们也会被驱逐出去,估计部落猫还会让我们饿着肚子走。

"急水部落的全体成员,"尖石巫师说道,"昨天晚上,我在水中和星光中看到了信息,杀无尽部落也和我说话了。他们不想让我们被赶出山地的家园。因此,我决定,让族群猫帮助我们。"

松鸦爪的嘴巴一下子张大了。尖石巫师在撒谎!杀无尽部落根本不是那样说的。尖石巫师一定是自己改变主意,决定不理会祖灵的意愿了。

尖石巫师的话音刚落,猫群中就响起一阵议论声。松鸦爪可以听出,有些猫在抗议,但大多数猫好像都急于听听族群猫有什

您所说的是那个预言吗？

对。会来三只猫。

是一只皮毛似火的猫的亲戚，他们掌握着星族的力量。

另外两只猫在哪儿？

在山洞里。预言是从哪儿来的？

你干吗把他带到这儿来？

你们得把这个信息传到急水部落去。

告诉他们，族群猫是来帮助他们对付入侵者的。

部落不需要帮忙。

你怎么能这么说？部落猫都快被饿死了。

我们也无能为力。

部落不能这么轻易就屈服！

他们必须通过战斗来保卫自己。

么建议。正如他所料,部落猫对尖石巫师言听计从。昨天,巫师不想让族群猫说话,部落猫也不想听他们的;今天,巫师说应该接受族群猫的帮助,他们便纷纷附和他。这些猫就不会自己思考问题吗?

"安静!"尖石巫师提高音量说道,"我们听听黑莓掌有什么话说。"

"我们先估计一下形势。"黑莓掌的声音清脆响亮,听上去信心十足。松鸦爪知道,父亲其实早就想好了应该怎样说。"我们需要知道真实情况。那些入侵者在哪些地方偷猎?在哪些地方与部落猫发生冲突? 我们还必须弄清楚,他们的营地在哪儿。"

"我们还应该确定,部落需要多少领地才能生存。"褐皮从松鸦爪身边的什么地方大声说道。

"没错。"暴毛插话说,他的声音低沉,但听上去异常兴奋,"我们不能坐在这里等着挨打,而应该设立边界,并确保边界得到恰当的保护。"

猫群中又爆发出一阵议论,但一个新的声音大声喊道:"等等。"

嘈杂声停了下来。黑莓掌说道:"鹰崖,你有什么话说吗? "

"黑莓掌,我们已经认识很久了。"那个新声音说道,"很久之前,你们从水池中爬出来时,看到的第一只部落猫就是我。我是护穴猫,在那场大战中,我和暴毛一直并肩作战。谁也不能说我害怕打仗。但我现在想说的是,你们错了。"

"为什么? "尽管父亲只说了三个字,但松鸦爪能听出,他非常尊重这只猫。

"因为你们想把我们变成一个族群。"鹰崖回答说,"但我们不是族群,我们是部落。"

"但这是生存下去的唯一办法!"黑莓掌坚持说道,"你们以前不需要与任何猫共享捕猎场。但现在,你们也不能像囚徒一样在这里生活,不敢冒险出去寻找食物。"

"说得对!"几只猫喊道,"我们需要自己的领地。"

"我们还要保护领地!"另一只猫补充说。

"但请想想,我们会因此而失去什么。"鹰崖的声音比其他部落猫的声音都高,"我们将失去所有的传统,失去一切让我们成为部落猫的东西。我们会把所有时间用来东奔西跑,想方设法记住哪些石头属于我们。"

争论声继续在他们头顶嗡嗡作响。冬青爪低声问狮爪:"你认为如何?"

"黑莓掌是对的。"狮爪毫不犹豫地说道,"他们还有什么别的选择吗?"

"但鹰崖说的好像也不错。"冬青爪听上去有些迟疑,"如果有猫跑到我们的领地上,对我们指手画脚,让我们改变一切,我们会有什么感觉呢?"

"我们又不是快饿死了。"狮爪说道,"冬青爪,你怎么啦?来这里的路上,你还一直在策划怎样把部落猫训练得像族群猫一样呢。"

"我知道。但看到他们的生活方式之后,我的想法变了。"冬

青爪的担心，松鸦爪深有同感，"你呢，松鸦爪？"她问道，"你认为，部落猫应该因为一些猫的入侵而放弃所有的传统吗？"

松鸦爪耸耸肩："这不是我们能决定的事，又不是我们的传统。"

他听到冬青爪恼怒地哼了一声，好像她本来期望他会支持她，但问题比她或狮爪想象的复杂得多。松鸦爪还不想说出他的梦。他一直就喜欢独自品味从星族那里了解到的事情，但现在，他对父亲的计划完全没有信心，因为他知道，杀无尽部落不想让急水部落变成一个族群。

他想起了水池边那些猫的惭愧。杀无尽部落深感后悔，因为他们让自己的后代失望了，他们没能为这些猫找到一块安全的地方，没能让他们得到保护。松鸦爪还记得，那些闪烁着星光的猫都相信，这片山地已经背叛了他们。

然后，他突然想到一件事。如果急水部落曾试图在山地找到一个安全的地方，那就意味着，他们一定来自别的地方，一个不再安全的地方。

那他们从何而来？当初是什么让他们来这里的？

第二十三章

狮爪看到，部落猫分成一个个小组，每个组都吵成一团。

他想，其实他们不用费口舌了，尖石巫师已经打定主意，而且现在负责的是黑莓掌。

尽管这样，鹰崖说话时表现出来的勇气仍然让他刮目相看。他还高兴地看到，这只护穴猫和他父亲互相尊重。鹰崖不愧是只强壮勇敢的猫，而且接受过优秀武士应该接受的训练。

风爪一直站在鸦羽身边听开会的内容。这时，他走过来说："至少，我们没白跑这么远。我们很快就能把这件事解决好，也许还能立即称部落猫为山族了。"

"在部落猫能听见的地方说这话，当心你的耳朵。"冬青爪嘘声说道。

"别理他。"狮爪告诉她，"如果他想犯傻——"

看到黑莓掌向他们走过来，他急忙住口。"我有工作给你们做。"黑色虎斑猫说道。

狮爪跳起来，尾巴竖直伸向空中。终于开始行动啦！

"你们三个能教那些半大猫一些打斗动作吗？"黑莓掌问道。

　　狮爪刚要说话，便突然意识到，父亲说的"你们三个"包括风爪，但没有松鸦爪。三个学徒互相看着，与风爪的争执顿时被忘到九霄云外。

　　"当然可以。"狮爪点点头，"我们都愿意帮忙。"

　　他用尾巴碰碰松鸦爪的肩膀，向他道别，然后跟在父亲身后，向洞中半大猫活动的地方走去。松鸦爪好像没注意到这些，他正若有所思地盯着洞壁出神。

　　"每只猫，甚至狩猎猫，都要接受基本的打斗训练。"黑莓掌解释说，"但我们会把边界巡逻的任务交给护穴猫。他们最强壮，而且掌握了一些战斗技巧，不过仍然需要接受打斗训练。"

　　"现在还没有边界呢。"冬青爪指出。

　　黑莓掌亲昵地用尾巴碰碰她的耳朵："很快就有了。"

　　半大猫已经被召集起来，在洞中的活动地点挤作一团。黑莓掌一行走过去时，他们都转头看过来。

　　"您好！"滚石说着，向黑莓掌点点头，并伸出一只脚掌。

　　"你好！"黑莓掌回答说，"我想，你已经认识狮爪、冬青爪和风爪了。他们将带领你们进行一些战斗技巧的训练。"

　　让狮爪沮丧的是，没有一只半大猫对此表现出开心的样子。他们都在嘀咕着什么。狮爪依稀听到——"和我们差不多大的半大猫……"

　　"我和鱼跃斑都是狩猎猫。"怒枭大胆地说道，还用尾巴拍了拍他旁边那只浅棕色虎斑母猫，"我们不学这些玩意儿。"

　　"全部落都要学。"黑莓掌告诉他。

"这是为你自己好。"狮爪说道。

怒枭对他怒目而视。

"来吧。"冬青爪鼓励道,"很好玩的。你们需要学会自卫,万一入侵者袭击你们呢?"

狮爪欣慰地看到,滚石和另外一、两只猫看上去对训练很有兴趣。他的脚掌刺痛起来,心里充满期待。他将来也会当老师,也会有自己的学徒,这正是个不错的实习机会。

黑莓掌满意地点点头:"那这里就交给冬青爪了。我和褐皮、鸦羽出去看看怎样确定边界。"他转身准备离开,但又回过头来说道:"狮爪,你想和我们一起去吗?冬青爪和风爪可以先训练。"

狮爪有点儿失望。然后,他又想起,自己一直就想探索湖外边的世界,现在正是机会。"好吧。"他说着,摆动尾巴向其他猫道别,跟在黑莓掌身后向洞口走去。

褐皮和鸦羽正等在入口处,鹰爪、飞鸟和灰濛也在那里。

"我们和你们一起去。"鹰爪说,"如果入侵者就在附近,你们可能需要后援。"

"谢谢你们。"黑莓掌用尾巴示意那只大块头护穴猫带路。

狮爪走在父亲身后。大家顺着瀑布后面的急水之路向前走去。阳光从飞瀑中照射过来,小路看上去不像头天晚上那样让猫害怕了。走出洞口后,他跳到水池边的空地上,抖落皮毛上的水滴。一阵劲风吹来,几片白云从湛蓝的天空中掠过。太阳刚从最高的山峰上露出笑脸,在山坡上洒下阳光。一只孤鸟懒洋洋地在高空盘旋。

"老鹰。"飞鸟低声说,"我们得当心它。"

"走这边。"鹰爪说道。他向水池那边的岩石跳过去,用爪子扒着石头向上爬,一直爬到一块突出的平石上才站起来。狮爪和其他猫跟着他爬了上去。狮爪站在石头边上大口地喘着气,举目望去,眼前是一片荒芜的石头森林,到处都是从地面上凸起的石头。只有星星点点的几丛绿色植物,点缀着这片广袤的灰褐色风景。这里几乎没有任何动物的迹象。

"这里什么也没有。"他蹲伏下来,望着下方的那片石头森林,"除了我们之外,这里好像没有猫。"

"别相信表面现象。"鹰爪走到他身后,低声说道,"尽管入侵者还不像我们这样善于躲藏,但他们已经越来越能干了。"

"那你们必须更能干才行。"黑莓掌简洁地说道,"这样,你们才能打败敌猫。"

鹰爪怀疑地哼了一声,开始顺着一个碎石陡坡向上爬,陡坡顶部是一道石脊。狮爪伸出脚掌,去抓那些滚动的石头,但他立即意识到自己可能永远爬不上去。每爬一步,他都觉得会向下滑两步。他仔细观察部落猫的动作,看到他们都把脚掌斜踩在陡坡上。于是,他也效仿,渐渐爬得轻松起来。最后,他终于爬了上去,站到了坡顶上。

狂风猛烈地吹在身上,让他眼里盈满泪水。他眨眨眼睛,看到了更广袤的石头森林和狭窄的山谷,岩石间有几条小溪蜿蜒前进,看上去和草茎一样细。远处依稀可见一片绿色,他意识到,那里就是山地的边缘,也许就是他们来这里所穿过的那片森林。

"我感觉自己像只鸟耶！"狮爪大声叫道。

话音刚落，他便觉得脚掌滑动起来。有那么一瞬间，他觉得自己已经被风刮翻，正向下坠落。周围的景色旋转起来，他感到一阵恶心。然后，有两排牙齿紧紧咬住他后颈上的皮毛，把他猛地拉回到安全地带。他抬起头来，看到是鸦羽。

"谢谢啦。"他气喘吁吁地说。

"记住，你不是鸟。"这只风族猫嘟哝道。

狮爪在石头上坐了一会儿，直到头不再眩晕，心不再咚咚狂跳。他再次抬起头时，看到鹰爪、褐皮和黑莓掌站在不远处。鹰爪挥动尾巴，指着石脊下的什么东西。

"那就是暴毛率领我们战斗的地方。"他说道。

狮爪更加小心地走到石脊边上，向下看去。下面的地面凹陷进去，形成一个险峻的峡谷，两边的悬崖上都是锯齿状的石头。谷底石峰林立，一条狭窄的小溪从中流过。他不由自主地颤抖起来，仿佛看到斜坡上猫血流淌，听到众猫鏖战时发出的嘶鸣声。

"我们现在不去那里了。"鹰爪继续说道，"侵略者认为，那里是他们的地盘。"

"也许我们应该教训一下敌猫，让他们知道自己错了。"褐皮挥动着尾巴建议道。

鹰爪摇摇头："不值得。我们其实从没在那里找到过多少猎物。顺着这道石脊走不了多远，就到另一个山谷了，谷底也有小溪。那里有草，还有些灌木，通常可以捕到一、两只老鼠，如果运气好，还能抓到兔子。我们睡觉用的苔藓也是从那里取回来的。"

狮爪朝他指的方向看去。石脊那头不远的地方，有一块歪歪扭扭的大石头，看上去像一棵被闪电击倒的大树。"那里可以作为不错的边界标志。"他向黑莓掌建议道。

黑莓掌点点头："好主意。那个有小溪、草和灌木的山谷，应该是部落领地的一部分。"

部落猫没有发表意见，但怀疑地互相看了一眼。狮爪同情地猜想，也许他们觉得，反正都是丧失领地，只不过这次是拱手送给这些对他们发号施令的族群猫。

"鹰爪，你能带我们去那里吗？"黑莓掌问道。

"当然。"那只大块头护穴猫顺着石脊向前走去，狮爪和其他族群猫跟在后面，非常小心地迈动着脚步。他欣慰地看到，那只老鹰已经消失了。

众猫到达山谷上方时，发现下面有许多可以隐藏猎物的地方，看上去对捕猎者更有吸引力。鹰爪准备带路下去，但黑莓掌催促大家继续沿着石脊往前走。

"我们要把边界走完。"他说道，"或者至少绕着我们认为可能的边界走一圈。"

"什么？"飞鸟惊愕地说，"我们一天不可能走那么远。"

"你们也知道，在这里走路更费时间。"灰濛补充说，"不像在平地上。"

"我知道。"黑莓掌非常理解地回答说，"但你们已经没有时间了，入侵者不会等你们。"

鹰爪低吼一声："你说得对。我们继续走吧。"

他领着这群猫在山谷上方继续往前走，心里把那块尖利的石头作为边界标记记下来。没过多久，石脊凹下去。他们到了石脊与山谷交汇的地方，谷底的小溪就是从这里两块岩石中的缝隙里流出去的。

"这是另一个可以作标记的好地方。"黑莓掌解释说，"边界一旦确定，你们每天都要来这儿留下气味标记，所以，最好选择最容易记的地方。"

鹰爪点点头。但狮爪认为，鹰爪看上去仍然不相信，部落猫愿意这样标示自己的领地。

从这里开始，他们首先走过一个高地，那里散落着一些尖尖的石头。然后，他们异常艰难地翻过几道完全无路可走的陡峭山脊。此时，太阳已经爬到高空中。狮爪已记不清，脚垫被坚硬粗糙的石头划破过多少次了。他的脚掌很疼，一路走，一路留下斑斑血迹。甚至那些部落猫看上去也精疲力竭了。

黑莓掌绕过一块巨大的石头，突然停下脚步。狮爪差点儿和他撞到一起。黑色虎斑猫毛发倒竖，狮爪感觉到了他的愤怒。危险迫近，他警觉地直起身，越过父亲的肩头望过去。

他看到的是一片谷地，谷底有个水池，还有几丛灌木。三只猫刚从灌木下钻出来，第一只猫嘴里叼着一只老鼠。此刻，他们都停下脚步，好奇地抬头张望。

"怎么回事啊？"一只黑色虎斑公猫问道，"你们想干什么？"

"我们还想问你同样的问题呢。"黑莓掌说着，上前几步，站到谷地边上。

鹰爪大步走上去，站在他旁边。褐皮也走过去，站到他的另一边。狮爪注意到，飞鸟和灰濛已经各就各位，站到可以看见其他入侵者过来的地方。同时，鸦羽沿着谷地边缘，爬到可以从另一边监视灌木丛的地方。

刚才说话的那只黑色公猫眯起眼睛："如果你们想打架，我们奉陪到底。"

"我们不想打架。"黑莓掌的声音很平静。不过，狮爪看到，他脖子上的毛仍然竖立着，知道他随时准备投入战斗。"我们在设立边界。这里将是急水部落的领地，但你和你的朋友们可以拥有山地的其他地方。我们设定好边界后，各自的领地就很清楚了。"

狮爪认为这听上去很公平，但那些入侵者显然不这样想。第三只猫，一只浅灰色母猫，抬起那双冷冷的蓝眼睛看着黑莓掌。"你算老几啊？竟敢说我们不能去哪里？"她嘲讽地说道，"我们想在哪儿捕猎，就在哪儿捕猎。"

"这是我们的地盘！"鹰爪咆哮道。

"那你们就把我们赶走啊！"那只母猫挑衅地说道，"可惜你们至今仍然无能为力！"

"你们的边界也无法阻挡我们。"那只黑色公猫补充说。

鹰爪急速地摆动着尾巴，蹲伏下来，准备起跳。谷地那头，鸦羽发出一声震耳欲聋的怒吼。三个入侵者更紧密地靠在一起，伸出爪子，耳朵紧贴着头部。

"住手！"黑莓掌竖起尾巴，"今天我们不打架。如果你们有首领，就回你们首领那里去。"他对那些入侵者说，"告诉你们的每

一只猫,从明天开始,边界就设好了,谁也不能越界。"他从谷地边退回来,用尾巴示意鹰爪,"我们走。"

三只入侵猫从他们身边走过时,大块头护穴猫怒吼一声,但并没有阻拦他们。"下次你们就没这么幸运了!"他没好气地说。

入侵者消失在两块大石之间,只有那只灰色母猫傲慢地摆了摆尾巴,以示回答。褐皮跳着追上去,在他们消失的地方停下脚步。

"他们走了。"片刻之后,她报告说。

但他们还会回来的。狮爪没把心里的想法说出来,但他猜测,在场的每只猫都这样想。

"这一切有什么意义啊?"灰濛沮丧地问道,"那些猫根本不会尊重我们的边界。"

"我们最好还是回洞里去吧。"飞鸟附和道。

"不,你们一定不能放弃。"黑莓掌鼓励他们说,"边界一旦设立,你们就可以不断用气味标记加以巩固,直到入侵者最后承认边界的存在。"

狮爪不确定父亲是否正确。边界的成立依赖于双方的共识。如果一方不同意,气味标记仍然需要用利爪和尖牙来巩固。部落猫能通过战斗来保护自己的领地吗?

鹰爪带领大家绕着谷底走了一圈,将它划入部落领地的范围。然后,他们从那两块大石中间走过,又穿过石壁中一条弯弯曲曲的狭窄通道。通道很窄,群猫只能排成一行通过。鹰爪宽阔肩膀上的毛发一直擦着两边的岩石。

　　众猫走出豁口没多久，就来到一个稍微宽敞一些的地方，四周是绝壁，脚下是乱石。头顶突然传来一声尖厉的嘶叫声，片刻之后，有什么东西落在狮爪身上，将他打翻在地。他滚到一边，发现面前有只年轻的玳瑁色猫，脸上有闪光的条纹。

　　"我认识你！"狮爪喘着气说，"我昨天看到过你。"

　　那只玳瑁色猫没有回答，而是伸出一只脚掌，向他头上打来。狮爪这才发现，她没把爪子缩回脚掌。今天本来就是个疲惫和受挫的日子，他现在正想舒展舒展筋骨，好好地打一架。于是，他一跃而起，扑到那只年轻猫身上。

　　他用后掌猛击年轻猫的同时，瞥见褐皮正与一只灰猫扭打着，在地上翻滚。另外一只年轻猫正吊在鹰爪肩上，号叫着，用爪子猛抓对手。更多的打斗声从小路那头传来。空气中充满了刺耳的嘶叫声。

　　在这样一条狭窄的小径上，几乎无法发挥出战斗技巧。那只玳瑁色猫摆脱狮爪，爬到一块大石头上，弓起背，竖起尾巴上的毛发，挑衅地看着他。

　　狮爪飞快转身，看到黑莓掌正用一只巨大的脚掌牢牢钳住一只姜黄色年轻公猫的脖子。黑莓掌那边，两只几乎一模一样的虎斑猫已经将飞鸟按倒在地，正用爪子猛扯她的皮毛。狮爪愤怒地号叫一声，从黑莓掌头上跳过去，扑到离他最近的那只虎斑猫身上。

　　"不要流不必要的血！"黑莓掌对他喊道。

　　狮爪几乎已经狂怒得听不见任何声音，但他仍然没把爪子伸出来。他一掌把一只虎斑猫打向一边，威胁地向另一只猫龇出牙齿，同时把飞鸟从地上拉了起来。

战斗几乎刚一开始，就结束了。那些入侵猫迅速散开，往小径两头逃去，或者跳回石头上，转眼便不见了。

黑莓掌走到狮爪面前，用鼻子碰了碰他肩膀上的毛。"打得好。"他说道，"你没事吧？"

父亲的赞扬像一股暖流流过狮爪全身。"我很好。"他回答说，"他们打得不凶。"

"我觉得他们像学徒。"鸦羽走过来，吐出嘴里的灰毛。

"也许他们在找乐子。"黑莓掌说道。

"找乐子！"鸦羽翻着白眼。

"他们只想吓唬我们。"褐皮从一块大石上跳下来。她刚刚跳上石头去追赶袭击她的年轻猫。"他们没捕猎，也没保护营地。"

"你们族群猫都很会打仗。"鹰爪摇摇晃晃地顺着小径走过来。他犹豫片刻，又自言自语地说："这些战斗就没有结束的时候吗？"

灰濛和飞鸟心神不安地看看对方。飞鸟低声说："我想，我们的家再也不属于我们了。"

狮爪意识到，部落猫在刚才的战斗中战绩最差。灰濛的耳朵在流血，飞鸟腰上留下了几道抓痕，鹰爪肩膀上的毛掉了一团。他们的确需要学习武士的战斗技巧。

但遗憾的是，他们好像准备放弃了。如果连部落猫都不打算自救，族群猫有什么希望帮助他们获胜呢？

第二十四章

冬青爪把半大猫带到洞外，看着狮爪和黑莓掌率领的其他巡逻队员消失在岩石那边。突然，她很希望自己能和他们一起去。但她知道，她担负的责任同样重要：训练部落猫掌握一些武士格斗技巧。

等每只猫都从洞里走出来，跳到水池边的空地上之后，风爪便命令道："坐在那里，仔细观察。我和冬青爪向你们示范怎样打仗。"

冬青爪感觉皮毛刺痛起来。尽管他们现在要扮演老师的角色，他说话也没必要这样专横吧！"我们何不让部落猫展示一下，看看他们已经会些什么？"她建议道，"也许可以在此基础上提高。"

"嗯……好吧。"风爪不情愿地耸耸肩。

"只有护穴猫才学这些。"滚石走到冬青爪面前解释说，"我们只学过怎样驱赶老鹰，以免它们袭击狩猎猫。"

冬青爪坐下来，用尾巴环抱着脚掌："好的。你们是怎样做的？演示给我看看。"

滚石蹲下来，用强健的后腿猛地一蹬，跳入空中。跳到最高处时，她猛地伸出两只前爪，然后干净利落地落在地上，立即又重新跳起。

这一系列动作让冬青爪印象深刻。那个跳跃动作非常优美，最适合用来吓跑空中的飞敌。她怎样才能将它改成进攻地面敌猫的动作呢？

"太棒啦。"她说道，"你们都会做吗？"

另外几只半大猫走上前来，说道："我们会。我们都会和滚石一样，成为护穴猫。"

还有三只半大猫站在水池边没动，包括怒枭和鱼跃斑。而且，他们都充满敌意地看着冬青爪和风爪。

"真不明白，为什么我们必须照你们说的去做。"怒枭嘟哝道，"你们也都还不是武士。"

"但我们的战斗知识比你们丰富。"风爪反唇相讥。

冬青爪强忍着叹息。尽管风爪说得对，但用如此讨厌的语气说出来，只会让怒枭毛发倒竖。"因为黑莓掌让我们训练你们。"

"那又怎样？"怒枭粗鲁地背过身去，然后又回过头来补充说，"他又不是我们的首领。我们不用听他的。"

"而且，我们是狩猎猫。"至少，鱼跃斑比怒枭更礼貌些，"我们只接受过捕猎训练。"

"那好，你就把风爪当作一只兔子吧。"

"嘿！"风爪抗议道。

他还没能多说什么，鱼跃斑已经摆出类似捕猎的姿势，然后

猛地一跳，把他扑倒在地。风族学徒摆脱她，从地上爬起来，抖动着凌乱的毛发。

"好极了！"冬青爪说道，"这个动作用在战斗中棒极了，但你还需要接着猛抓几把，或者用牙齿去咬敌猫的喉咙。"

鱼跃斑点点头。冬青爪欣慰地发现，她现在看上去已经没有了之前的敌意，反而变得兴趣盎然。"我会那样抓兔子，"她说，"但最好不那样对他。"

"我倒想让你试试看。"风爪怒声说。

"你们也一定跳得不错。"冬青爪转身看着那群护穴猫说道，"但跳到最高处之后，不是伸出爪子，而是向敌猫背上落下去，然后才用爪子抓。"这是高级的战斗动作，入侵猫可能不会料到。"现在，我和风爪向你们示范一些基本技巧。"她又补充说。

于是，他们示范了一些新学徒需要学的技巧：从敌猫身旁冲过去，同时，用爪子抓敌猫的腰部，滚过去，用后爪抓肚皮等。

"现在，你们试试吧。"风爪命令道，"两只一组，一只护穴猫和一只狩猎猫对练。"

"记住，训练时都要把爪子缩回去。"冬青爪补充说。

她和风爪并肩坐下，观看半大猫训练。让她吃惊的是，狩猎猫掌握新技巧的速度更快，他们的动作更灵活。她猜想，他们不会受到护穴猫已经学会的那些动作的干扰，这可能对他们也有些帮助。

水池另一边，松鼠飞和暴毛正在训练一些年龄更大的部落猫。冬青爪听到一只猫说道："我们为什么要学这些啊？我们多年

来都是这样,而且以前一直都好好的。"

冬青爪心里突然同情地刺痛起来。她能理解,部落猫为什么想沿袭祖先的生活方式,她也讨厌自己强迫他们做出改变。但如果这是生存下去的唯一办法,他们就必须学习。她还这样安慰自己:边界一旦设立,就不会流那么多血了。入侵者进攻这些懂得自卫的猫之前,将不得不三思。

训练结束后,她让风爪带狩猎猫去学一、两个更高级的动作。她则训练护穴猫,对他们的一些动作进行改进。

正午已经过去,到下午了,冬青爪的肚子已经饿得咕咕叫,但没有一只半大猫停下来吃东西。她寻思着,他们可能一天只吃一顿吧。有那么一会儿,她真希望自己正身在雷族,只要完成学徒该做的全部工作,随时都能从猎物堆上拿一只喜欢的猎物。

最后,她终于示意那些半大猫在水池边休息。"太好了。"她说道,"真奇怪,尖石巫师居然没出来看你们训练。我想,他一定会为你们取得的进步感到自豪。"

"尖石巫师不出洞的。"滚石告诉她。

冬青爪惊讶地睁大眼睛:"从不出来吗?"

"不常出来。"鱼跃斑说道,"他只出来参加瀑布顶上举行的仪式,比如,半大猫成为正式部落猫的仪式。"

"有时出现紧急情况,也会出来。"滚石补充说。

"大概这点与族群猫也不同吧?"怒枭嘲讽道。最后,他终于也开始参加训练了,但冬青爪能看出,他不喜欢。

"是不同,族长要和武士一起捕猎和巡逻。"风爪解释说,"如

果需要，还要打仗。"

"这是不是意味着他可能会战死？"滚石问道。她的惊讶不亚于冬青爪刚才的惊讶。

"不完全是。"冬青爪不想解释族长有九条命的事，因为她不清楚，杀无尽部落是否给了尖石巫师九条命，也不知道部落猫会不会心生怨恨。而且，她还意识到，在森林里生活比在山地生活安全多了。森林中更容易躲避老鹰，也没那么多可能把猫摔死的地方。她看看四周那些灰突突、冷冰冰的岩石，思乡病再次发作，像利爪一般直刺心房。

"我想，我们应该继续训练了。"说着她站起来，准备开始另一节训练课。

话音没落，就有什么东西从她背后扑了过来，将她撞倒在地。她奋力挣扎，直到最后精疲力竭地摊开四肢，躺在水池边上，尾巴垂到水中。风爪的两只脚掌紧紧地按在她胸口上，琥珀色的眼睛开心地闪动着。

"这是袭击敌猫的最佳办法！"他得意洋洋地说，"出其不意，攻其不备。"

他退后一步。冬青爪慢慢爬起来，听到半大猫们发出了喵喵的笑声。

"白痴的毛球！"她一边骂，一边把尾巴上的水抖落到他脸上。但她没有真正生气。在雷族时，她和狮爪也会这样互相恶作剧。"风爪说得对，"她继续说，"捕猎技巧很适合用于偷袭敌猫。我们来练习一下吧。"

但训练课刚开始，冬青爪便感觉饿得慌，无法坚持下去。脚掌也变得笨重起来，让她无法自如地将它们轻轻落下。幸好，她终于闻到了令她心安的气味，知道狮爪、黑莓掌和其他边界巡逻队员回来了。

哥哥正小心翼翼地从岩石上往水池边走来，他的腿瘸得厉害。冬青爪急忙解散半大猫。反正他们也累得不行，没法再练了。风爪陪他一起回洞里，边走边给他们讲风族战胜狐狸的故事。

好像这里还会有狐狸似的，冬青爪心想。她向狮爪走去，让他靠在她肩上。"你没事吧？"她关切地问道。

"没事。"狮爪疲惫地叹息一声，在水池边蹲伏下来喝水。然后，他抬起头，抖落胡须上的水滴。"今天不太顺利，我们没能走完全部边界。路太难走了。"

冬青爪真希望把半大猫的训练情况告诉他，让他高兴起来。但她自己也不开心，不喜欢向他们灌输族群猫的生活方式，况且还有一、两只怒枭那样的猫公然表示不想学。她看着那些武士和部落猫，无精打采地慢慢沿着急水之路往洞里走。这时，她才第一次注意到，松鸦爪出来了，正盘坐在瀑布边的一块岩石上。等那些成年猫从他身边走过之后，他才从石头上跳下来，向哥哥姐姐跑过去。

"这个洞讨厌死啦。"他一面跑一面说，"我无聊得直想把身上的毛抓掉。一整天被困在里面，听那些母猫向我抱怨她们生病的幼崽。"

"你不能帮帮他们吗？"冬青爪问道。

"我又不是他们的巫医。"他没好气地说,"如果我侵犯尖石巫师的特权,你们能想象他会怎样说吗?"

"对,你是我们的巫医。"由于情绪受挫,冬青爪也变得乖戾起来,"那你能为狮爪做点儿什么吗?"

"他怎么啦?"松鸦爪问道,并好奇地嗅了嗅狮爪。

狮爪正把酸疼的脚垫浸在水池中,然后又用舌头去舔它。"我没事,真的。"

冬青爪不相信。他的声音听上去疲惫不堪,脚垫上的皮被磨掉了许多,还在流血。"他的脚垫疼得要命,你就没什么办法吗?"她催促松鸦爪。

松鸦爪暴躁地抽动着耳朵:"在这个被星族遗弃的地方,我到哪儿去找药草啊?"不过,他仍然站起来,嗅嗅空气,然后向岩壁走去。那里顽强地生长着几棵低矮的灌木和一小丛草。不一会儿,他就回来了,嘴里叼着几片酸模叶。"把它们嚼碎,然后把浆汁涂在脚垫上。"他告诉狮爪。

"谢谢。"狮爪舒了一口气。清凉的药草浆汁让他的痛苦减轻了许多。

冬青爪听到了脚掌走在石头上的声音,她抬起头,看到松鼠飞正顺着水池向他们走来。"你们的训练课怎么样啊?"她问道。

"我觉得还不错。"冬青爪回答说,"有些猫学得还真快。但我不确定……"

"不确定什么?"

"我们这样做是否正确呢?长久以来,部落猫一直遵循自己

的传统。向他们灌输不同的生存方式，好像是不对的。"

"边界也一样。"狮爪说道，"我觉得，像对待族群领地那样对待这些山，可能不起作用。那些入侵者不想要什么边界，这是肯定的。不过我想，部落猫可能也不想要。他们不想改变早已习惯的方式。"

"我不知道，我们为什么要介入此事。"松鸦爪的声音听上去仍然很不高兴，"杀无尽部落已经放弃急水部落了，而且，他们也不想让我们帮忙。那族群猫为什么还要让部落猫做他们不想做的事情呢？"

"因为没有我们，他们就会死。"松鼠飞厉声说道。然后，她又用尾巴拍拍松鸦爪的肩膀，表明她其实不想这样说话。"对不起，其实我和你们一样沮丧。但我认为，我们不应该放弃。我们有宝贵的经验可以教给急水部落，他们迟早会明白这一点的。"

冬青爪可没那么肯定。有太多的战斗在这周围发生，她想，而且不仅仅是会流血的战斗。

第二十五章

　　松鸦爪躺在铺满苔藓的窝里,狮爪和冬青爪就在他身边。远处传来永无休止的瀑布声,水声中好像夹杂着猫的声音,但太微弱,无论他怎样竖直耳朵,都无法听清。近处,那些疲倦的半大猫还在窃窃私语,正准备睡觉。

　　一天的辛苦之后,冬青爪和狮爪睡得像秃叶季的刺猬一样。松鸦爪蜷缩成一团,把尾巴放在鼻子上,也想尽快睡着,但这没用。他脚掌痒痒的,想起身做点儿什么。于是,他便小心翼翼地从窝里爬出来,走到洞穴中央,生怕吵醒哥哥姐姐。

　　他已经开始熟悉洞中的情况了。他能分辨出护穴猫和狩猎猫睡觉的地方,能闻出族群猫睡在哪儿。他背对瀑布,慢慢地向洞那头走去。他听到了滴滴答答的水声,发现有水滴从岩石上滴落到一个小水坑中。他蹲伏下来,用舌头舔舔水,发现又冰又冷,有一股风的气息。

　　他很难相信,族群猫会在山地逗留很长时间。无论尖石巫师怎样说,他们在这里都不受欢迎。而且看上去,强迫部落猫学习族群猫的技能,并不能解决什么问题。但在他们离开之前,他一

定要发现更多与杀无尽部落有关的事。他重新站起来，把下巴上的最后几滴水舔干净，并嗅了嗅空气。

是尖石巫师的气味！松鸦爪在地上嗅出了微弱的气息，于是循着它走到洞的后部，发现了一条裂缝。他钻过裂缝，顺着一个狭窄的地洞往前走。不一会儿，空气的流动和脚步的微弱回声让他知道，他已经进入了另一个洞穴。

一丝冷风告诉他，这个洞顶有缺口，或者至少有一条缝能看到天空。他继续向前走，脚掌突然踩到一坑水中。他急忙把脚缩回来，厌恶地抖掉脚掌上的水。他感觉身体碰到了一块石头上，于是伸出一只脚掌去摸了摸。石头是从洞底突起来的，像树桩一样。空气中回荡着奇怪的低语声，但很微弱，无法听清，很像他先前在瀑布声中听到的声音。

然后，一个更清晰的声音说话了："松鸦爪，欢迎你来到尖石巫师的巢穴。"

松鸦爪愣住了。他刚才一直太专注于探索洞穴，没去想万一尖石巫师发现他在这里，会有什么后果。他能感觉到，这是巫师的私人地盘，就像族长的洞穴一样。他没必要假装是误入禁地。

"谢谢你，尖石巫师。"

他听到了脚步声，想象着那只老虎斑猫走向他的样子。巫师的声音再次响起时，就在他耳边。

"这里是我和杀无尽部落交流的地方。他们通过星星的闪烁、水中的月亮、光线的跳动、洞底突起的以及洞顶悬垂的石头的影子、风、水和脚步的回声等，向我传递信息。"他的声音不像

正常的说话声,时高时低,然后突然变成了低语,"但现在,他们没向我传递任何可以让部落感到安慰的信息。"

这个老巫师谎传杀无尽部落的信息时,松鸦爪就已经失去了对他的尊重,但他不能无视老猫的年龄和智慧,不能无视他面临部落破败时强烈的负疚感。

"我们的祖灵不能帮助我们了。"尖石巫师继续说,"他们好像已经不在乎我们的生死。"

松鸦爪不确定尖石巫师是否真是在和他说话。他好像是在与一只年龄更大,可以和他共享智慧的猫说话。

"族群猫可以指望星族。"松鸦爪迟疑地说,"但星族也不是万能的。也许,杀无尽部落只是不知道怎样帮助你们。"

"那他们为什么带我们来这里?"尖石巫师愤怒地说,"他们向部落保证过,说我们会安然无恙。"

松鸦爪竖起了耳朵。尖石巫师对部落猫的起源了解多少呢?

"你们以前在哪里生活?"他好奇地问道,"为什么必须离开那里,到这里来呢?"

尖石巫师长叹一声,呼出的气息吹拂着松鸦爪的胡须:"不知道。那是很久很久以前的事了。杀无尽部落没向我讲过这些。"

松鸦爪感到身上的每根毛都刺痛起来。这么说来,部落猫不是一直生活在山地!也许杀无尽部落已经绝望,因为他们认为自己错了,不该带这些猫来山地。他用前爪刨着潮湿的地面。如果他知道全部真相,而不是这些支离破碎的信息,就更好了!

"今晚的信息怎么说?"他问尖石巫师。

"没说什么。"巫师回答道,"月光照在水面上,但是——唉!一片乌云飘过来,仿佛我们所有的希望都被阻隔了。回声中也没有任何信息,但那边却有风吹动水面,那意味着变化。"他又叹息一声,听上去心力交瘁,"我也不知道会是什么变化。现在,松鸦爪,我要睡觉了。"

"晚安。"松鸦爪听到老猫的脚步声渐渐远去,又听到一阵响动,好像老猫正在苔藓窝中蠕动身体,让自己睡得更舒服些。然后,那声音渐渐消失。他继续站在那里聆听,想从洞里的回声中听出一些信息,但他什么也没听出来。

他向洞的一边走去,发现地上有个小坑,就是光光的石头坑,里面没有铺什么舒适的东西,但他还是在坑里蜷缩起来。他知道,只有在梦里,才能为这些一直困扰他的问题找到答案。

他闭上眼,再次醒来时,发现自己又站在那块露出地面的石头上,风把他的毛发吹得紧贴在身体两侧。岩石坐在一块大石上,面对着他。月光照在他光秃秃的身上,那双凸出的瞎眼好像正盯着松鸦爪。

松鸦爪还没开口,他便说:"这些不是你的祖灵。小心点儿。"

"我够小心了。"松鸦爪反诘道,"但我必须做点儿什么!杀无尽部落已经放弃急水部落了。他们没采取任何行动来帮助部落猫。"

"但族群猫却在帮他们。"岩石说道。

松鸦爪疑惑地摆动着尾巴,抗议道:"但这是不对的!武士祖灵的职责不就是看顾子孙吗?不然,他们还有什么用?"

岩石没说什么。但松鸦爪感觉到，他沉浸在巨大的悲痛之中。他的好奇心再次活跃起来。为什么岩石会为部落猫担心呢？为什么谁也不愿意告诉我任何事情？

岩石的身形开始消失。松鸦爪烦躁地低吼一声。片刻之后，他看到，岩石已经变成石头上的一缕微光。然后，他就不见了，融入风和星光之中。他跳上前去，结果发现自己正在尖石巫师巢穴里的石坑中挣扎。

"老鼠屎！"他恼怒地说。

松鸦爪从洞中的气味判断出，时间已经过去了很久，尖石巫师已经离开。他站起来，迅速梳理一下皮毛。梦中的情景仍然萦绕脑际，像讨厌的蜘蛛网一样，无法摆脱。他觉得，一旦有时间思考，他也许能自己找到答案。

但现在不是时候。他听到远处有微弱的猫叫声，肌肉顿时绷紧，生怕有什么灾难降临。于是，他重新找到那条通道，急速向大洞走去。噪声更大了，哀号声和嘶叫声几乎掩盖了瀑布的流水声。松鸦爪刚一踏进山洞，恶臭的血腥味便扑面而来。

"怎么回事？"他警觉地说。

他仔细嗅嗅空气，首先闻到的是褐皮的气味。他向她走过去，问道："发生什么事了？打仗了吗？"

"是打架。"影族猫说，"黎明时，狩猎猫出去，捕到一只老鹰，回家的路上遭遇了入侵者，为争夺老鹰打了起来。"

"我们失败了！"一个不熟悉的声音怒吼道，"那些蠢家伙把我们的猎物抢走了。都怪族群猫，你们非要把护穴猫留在这里学

什么战斗技巧。"那只部落猫咬牙切齿地说出了最后几个字,仿佛是在念恶咒。

"你们现在掌握的技巧还不能打败其他猫。"黑莓掌的声音从松鸦爪身后传来。父亲的气味在他四周弥漫。

"这些破技巧什么用都没有!"那只部落猫吼道,"我的伴侣今天受伤了。"他的声音颤抖起来,"我甚至不知道她能否活下来。"

"对不起。"黑莓掌低声说,"松鸦爪,你能去帮帮尖石巫师吗? 他需要巫医的帮助。"

"当然。"谢天谢地,终于有事情做了。松鸦爪在其他猫的气味中嗅出了尖石巫师的位置,向他走过去。伤猫躺在地上,都在痛苦地叫唤。

他心想,其实,最多不过六只猫受伤,却吵得好像全部落都受伤了似的!

"松鸦爪。"尖石巫师的声音镇定自若,与昨晚的疲惫与迷惑似有天壤之别,"把这根委陵菜根嚼碎,敷在灰濛的伤口上。"

松鸦爪好奇地嗅嗅尖石巫师塞到他脚掌中的那根药草根:"我以前从没见过这种药草。你刚才说它叫什么? "

"直立委陵菜。"尖石巫师回答道,"能治各种伤,还能解毒。"

灰濛的声音从松鸦爪身后传来,听上去痛苦难耐:"唉,你们能不能一会儿再讨论这个啊? "

"好的。"松鸦爪叹息一声,"你认真舔过伤口了吗? "

"没……"灰濛听上去很吃惊,仿佛从没想过要舔自己的伤

松鸦爪，欢迎你来到尖石巫师的洞穴。

这儿就是我和杀无尽部落交流的地方。

谢谢您，尖石巫师。

到目前为止，他们没向我传递任何可以让部落感到安慰的信息。

那他们为什么要把我们带到这儿来？

或许，杀无尽部落只是一时不知道该怎么帮助你们。

你们以前在哪里生活?

杀无尽部落还没告诉过我这些。

今晚的迹象说明了什么?

没说什么。

月光映照在水面上，一片乌云飘过来，仿佛我们所有的希望都被阻隔了。

我现在要休息了。晚安，松鸦爪。

晚安。

口。

"那就好好舔舔。"松鸦爪没好气地说道,"把药敷在干枯的血痂以及乱七八糟的毛发上有什么用?"

他蹲伏下来,开始嚼药草,耳朵里传来灰濛舔舐伤口的声音。这药草根有股浓烈的香味,味道辛辣。

"我们也用冬青叶。"尖石巫师一边干活一边说道,"还有艾菊。你听说过吗?"

松鸦爪把最后一点儿嚼碎的药草根吐出来,用脚掌抓起一些,准备敷在灰濛的伤口上。"我们有艾菊,但大多数时候用于治疗咳嗽。好了,灰濛,伤口现在干净了吗?"

"好了,干净了。"那只狩猎猫回答说。

"也该舔干净了。"松鸦爪嘀咕道,"简直像是给幼崽疗伤!"

"嘿,别激动啊。"冬青爪用鼻子碰了碰松鸦爪脖子上的毛,说道,"告诉我该怎么做。我是来帮忙的。"

"部落猫需要立即开始自救。"松鸦爪厉声对她说,但随即又觉得不该这样暴躁。冬青爪又不知道,急水部落的祖灵已经放弃了他们,不过他也不想告诉她。但他知道,如果部落猫不开始自救,就完全没希望了。

第二十六章

伤猫的伤口被处理完后，他们就回睡觉的洞穴休息去了。尖石巫师疲惫地走到洞口，用尾巴招呼黑莓掌过去。狮爪跟在父亲身后，急于知道下一步会有什么行动。

阳光透过瀑布照射过来，洞口光线暗淡，灰蒙蒙的一片。尖石巫师坐下来，把脚掌盘在身下，变成水光中一个小小的黑色身影。

"急水部落无法在这里生存下去了。"他叹口气说道，声音几乎被隆隆的水声淹没，"我们必须离开这些山，到别处去找个家。"

黑莓掌惊异地睁大眼睛："巫师，这就是你的决定？但这明智吗？一大群猫在开阔地带走动是很危险的。大迁徙中，我们失去了很多族猫。况且，你们有什么地方可去呢？"

尖石巫师摇摇头，他无法回答这个问题。

狮爪心想：也许，他们可以和我们一起去湖边。但这里的猫太多，全部加入一个族群肯定不行。他们将不得不分开，但他们一定不喜欢那样。而且，族猫也很可能根本不会接受他们。

"即使你们找到了新家,"黑莓掌继续说道,"也必须学习新的生活方式,新的捕猎技巧。你们必须找到在这里生存的办法,你们属于这里。"

尖石巫师转过头来,仰望着高大的黑色虎斑猫:"你认为,我们怎样才能继续在这里生存下来?"

"试试边界巡逻吧。"黑莓掌说。

"巡逻?把全部时间都用来爬那些岩石?"从巫师的声音就可以听出他不赞成。

"是的。"黑莓掌的声音有些恼怒,"这很难,但你们已经习惯了在这些山中行走。你们比入侵者的优势大得多。"

巫师眨眨眼睛,盯着眼前永不止息的流水。过了一会儿,他问道:"你的意思是,急水部落必须把自己限制在一个区域内?"

"这是个好办法。"黑莓掌保证道,"只要有足够的地方让你们养活自己。难道保存一片领地不比丧失全部领地更好吗?"尖石巫师没有回答。他又补充说:"你为什么不亲自去看看,以便确保你们有足够大的领地?"

"巫师是不出洞的,除非参加瀑布顶上举行的仪式。"尖石巫师回答说,"这是杀无尽部落的遗愿。"

黑莓掌看上去很受挫,尾巴尖来回摆动着。狮爪生怕他会放弃,不再努力说服尖石巫师。

过了一会儿,巫师又说话了:"不过,也许现在是时候打破我们的一些传统了,只有这样,才能保留其他传统。我和你们一起去。"

　　"太好了！"黑莓掌竖起尾巴说道，"我立即组织巡逻队。狮爪，你也可以去。"他冲狮爪摆摆尾巴，跑回洞中去了。

　　狮爪不确定，自己是否想围着领地再走一圈。昨天走了大半天，他的脚掌还在疼，但他又的确想和父亲一起去设立边界，想看看尖石巫师会有什么反应。他在巫师旁边等着，直到黑莓掌、鹰爪、风爪和滚石一起回来。鸦羽、鹰崖、无星之夜和其他几只半大猫也紧跟着出来了。

　　"鸦羽带领他的巡逻队走一个方向，我们走另一个方向。"黑莓掌对尖石巫师说，"这样，我们傍晚就能把整个领地圈完。我们不会去看每一个角落，只是沿路找一些地标，以便大家都清楚边界在哪儿。"

　　尖石巫师点点头："非常好。"

　　他让黑莓掌带路，于是大家顺着急水之路走到洞外。狮爪停了一会儿，才从岩石上跳到水池边的平地上。天空乌云密布，低得仿佛压在山顶上。空气沉闷，有一股浓浓的雨水的味道。可能很久之后才能再次看到绿叶季的蓝天和暖阳了。

　　鸦羽的巡逻队爬上瀑布旁边的小路，消失了。黑莓掌率领自己的队伍，翻过相反方向的岩石，踏上与昨天相同的路程。他们步伐轻快，一直走到狮爪头天选择的第一个边界标记——那块弯弯扭扭的大石头跟前。

　　"我们在这里留下气味标记。"黑莓掌宣布道，"狮爪，你可以示范一下吗？"

　　"应该留下部落猫的气味吧？"鹰爪问道。

WARRIORS
猫武士

"当然。"黑莓掌说,"狮爪先向你们示范一下,剩下的标记都由你和滚石去设立。"

三只部落猫面面相觑。狮爪能看出,他们不太相信,边界标记能对入侵者起到什么作用。他心里也同意,如果没有尖牙利爪作为后盾的话,也不会有什么大的作用。

"真不知道我们费这些事干吗。"风爪凑到他耳边说,"他们的想法和族群猫根本不同。他们不知道怎样让边界起作用。"

狮爪把标记设好以后,巡逻队继续顺着石脊,走到那个有小溪的山谷尽头,然后走过高地。黑莓掌选了一个乱石堆作为另一个设置标记的有利位置。常年有水从一条狭窄的缝隙中滴落下来,洒在那些石头上。光滑的石头表面长了一层薄薄的苔藓。

鹰爪正要留下气味标记,尖石巫师反对说:"这在我们领地上有什么用?这些石头一直都很湿,不会有猎物到这里来。"

"不是这样的。"黑莓掌解释说,"边界标志需要被看见,而且容易辨识。如果能起到某种作用就更好,但不一定都有什么具体作用。"

巫师怀疑地哼了一声,但没再阻止鹰爪。他们绕着头天遭遇三只入侵猫的水池走了一圈,又顺着半大猫伏击他们的狭窄山谷往上爬。整个过程中,他一直没说话。

猫群爬出那个深谷后,滚石在一块巨大的石头底部留下了气味标记。石头下方是一个陡峭的山坡,坡下是一片被风吹得东倒西歪的低矮树丛。

"那些怎么办?"尖石巫师用尾巴指指山坡,"我们需要把那

260

块地方划入我们的领地。"

黑莓掌眯起眼睛查看地形。"不值得。"他作出决定,"从这里去那里太难了。"

"但部落猫长期在那里捕猎,那些树上留下了我们的爪印。"

狮爪看到,父亲脖子上的毛微微竖立起来,知道他在竭力压抑心头的恼怒。

"如果你们想捍卫边界,首先必须让边界易于管理。"他解释道,"你们的主要目标,必须是圈定一块足以让部落猫赖以生存的领地。而且,同时也必须给入侵者留下足够的空间。否则,你们就是在请他们前来进攻。"

狮爪看到鹰爪在点头,好像他听明白了,但尖石巫师却猛地甩了一下尾巴,龇牙咧嘴地说:"随你的便,族群猫。"

黑莓掌生硬地点了点头,示意鹰爪重新上路。

按照他们的路线,他们必须从一个小山包上走过,然后顺着一个满是大石头的斜坡向下,走到坡下的小溪,但他们还没走到坡底,冰冷的雨就开始下起来,被风裹着的雨滴打得脸上发疼。不一会儿,狮爪的皮毛就湿透了,冷得直发抖,他渴望躲到浓密的树枝下。

"你们部落猫是怎样应付这种鬼天气的啊?"他问滚石,"即使艳阳高照,这上面的风也很大。这雨简直——"

"我做给你看。"滚石打断他的话。

她加快步伐,从大石之间跳着跑下去,一直跑到小溪边。狮爪好奇地跟在她后面,结果发现她正在岸边的泥里打滚,直到全

身裹满厚厚的泥。

"试试吧。"她跳起来说,"这可以保持热量,还可以挡风。狩猎猫围捕猎物的时候也在身上滚满泥巴,这样,他们在岩石上就不那么显眼了。"

狮爪这才想起,他看到过的身上沾满泥巴的部落猫。原来还以为他们懒得梳理,现在,他看出这样做的好处了。于是,他小心翼翼地倒在一个泥坑里,滚来滚去,直到满身金色的皮毛被褐色泥巴全部盖住。

突然,他听到有谁嘲笑地哼了一声。他抬起头,看到风爪正站在他旁边。"等你想把那东西舔下来时,就知道好玩不好玩了。"风族学徒窃笑道。

"你也一样!"没等风爪回过神来,狮爪已经跳起来,将他推倒,拖进了泥坑。风爪惊愕地大叫一声,急忙往外爬,但狮爪死死地按住他,直到他身上也盖满泥巴。

"愚蠢的毛球!"风爪一边骂,一边爬上附近的岩石,厌恶地看着肮脏的皮毛。

滚石看着他们俩,打趣地卷起尾巴说道:"这才公平嘛。你们教我们族群猫的方法,现在,也学一下部落猫的方法吧。"

狮爪从泥坑中爬出来,抖动着身体。他讨厌泥巴的味道,讨厌泥巴将他的毛粘在一起,但他不得不承认,滚石说得对,这层泥巴的确能挡风。

"好了。"他嘀咕道,"我们继续走吧。"

鹰爪从小溪上跳过去,领头向那边的斜坡上走。狮爪刚开始

爬坡,就听到上边什么地方传来一声吼叫。他抬起头,看到天空中有猫的剪影,顿时僵住了,以为又遇上了入侵者。后来,等族群猫和部落猫的混合味道飘入鼻孔时,他才认出是鸦羽的巡逻队。

"太好了!"他欢呼道,"全部边界都标示出来啦。"

两支巡逻队在山顶会合。鸦羽报告说,他们遇到了两只入侵猫,但敌猫一意识到自己势单力薄,就立即逃走了。除此之外,他们没遇到任何意外,顺利设好了所有气味标记。

"那我们回洞吧。"尖石巫师说道。

让狮爪欣慰的是,鹰爪带他们走了一条近得多的路回去。路上,雨渐渐停了。他们走到瀑布旁的水池边时,冬青爪正在训练那些留下来的半大猫。

她本来正在示范一个打斗动作,但看到狮爪时,她那双绿眼睛惊讶地睁大了。"狮爪!我差点儿没认出你来。你看上去像极了部落猫!"

狮爪无奈地耸耸肩,心里仍然讨厌泥巴粘在皮毛上的感觉:"我巴不得快点儿把它们弄下来。"

"为什么啊?不起作用吗?"

"不是啦,作用倒是很大。"狮爪回答说,"但的确让我讨厌。"

冬青爪转转眼珠。"你那身金色皮毛在岩石背景下的确太显眼。"她说,"你现在这样子捕到的猎物肯定多得多。"

"我想也是。"狮爪叹息一声。他真希望回到森林里,他的皮毛可以和树叶间投射下来的太阳光斑融为一体。

其他猫已经沿着瀑布后面的小路回洞里去了,只有黑莓掌

还坐在水池上方的岩石上。"走吧！"他用尾巴招呼那些半大猫，"尖石巫师要开会。"

狮爪跳上岩石，向他身后跑去，冬青爪和那些半大猫紧随其后。洞外猩红色的阳光像条血色溪流照进山洞。狮爪不禁一颤，仿佛感觉到黏黏的血色潮水正漫过脚掌。

尖石巫师坐在洞那头的一块大石头上，就在通往他巢穴的通道旁边。部落猫和族群猫混杂在一起，聚集在他周围。狮爪看到了松鸦爪和松鼠飞。他和冬青爪、风爪以及其他半大猫一起，走到稍微靠边的地方坐下。

"部落猫和族群猫，"尖石巫师开口说道，"我们的边界已经设立好了。现在就等着看入侵者是否会尊重它们了。"

狮爪可以听出，尖石巫师不相信边界能起到任何作用，部落猫也发出一阵怀疑的低语声。

一只瘦骨嶙峋的白色母猫大声说道："那些泼皮猫从不尊重任何东西。"

"暴云，"尖石巫师对她点点头，"凭你多年的智慧，你说得没错。"

"那我们现在怎么办？"无星之夜用前爪紧张地刨着地面，"这一切都没有任何作用吗？"

"不，一定有作用。"黑莓掌昂首挺胸地站起身来，权威地说道。他的尾巴翘得高高的。狮爪心里感到很温暖，非常自豪这只威武的猫是自己的父亲。"但工作还没做完。现在，我们必须去找入侵者，告诉他们必须待在边界的那边。"

"你认为他们会听吗？"暴云嘲讽地问。

"不知道。"黑莓掌回答说，"但应该给他们一个机会。我们可以在达成休战协定的前提下找到他们的营地，要求与他们的首领对话。"

怒枭正坐在狮爪和滚石中间。这时，他轻蔑地哼了一声："休战协定！如果黑莓掌认为那些入侵者会尊重休战协定，那他就是个鼠脑袋。"

"他们可能会尊重的。"冬青爪说道，"在我们那里，每个满月时，族群间都要达成一个休战协定。"

怒枭看上去还是不相信。狮爪又补充说："是的，如果有任何猫愤怒地向满月举起脚掌，星族会发怒的。"

滚石眨眨眼睛，好像很好奇，而不是不相信："你们认为，这些入侵者知道星族或者杀无尽部落吗？"

狮爪和妹妹交换了一个眼神，从妹妹的绿眼睛中，他看出她和自己一样迷惑。入侵者会像部落猫或族群猫一样，与自己祖先的灵魂对话吗？

"不知道。"冬青爪回答说，"但这个办法值得一试。"

他们说话时，成年猫之间的讨论仍在继续。突然，尖石巫师用尾巴示意大家安静。"够了！我们试试黑莓掌的计划吧。明天，我和他会挑选出几只猫去寻找入侵者，但如果这个计划失败，那么……"他的声音越来越小，头也低下了。狮爪不得不竖起耳朵，才能听清他说的最后一句话。"如果失败，急水部落就不能再以山地为家了。"

狮爪从瀑布后面走出来时，天空刚露出一线乳白色的晨光。岩石已经被露水浸湿，水池周围的灌木上也有露珠滴落下来，但头天那些黑夜一样的乌云消失了。他不知道这是不是个好兆头。

巡逻队的其他成员从洞中走出来，跳下岩石，聚集在水池边。狮爪既害怕又兴奋，脚掌随之刺痛起来。除了松鼠飞和松鸦爪之外，全部族群猫都来了。尖石巫师从部落猫中挑选了鹰崖、无星之夜和鹰爪，以及滚石和鱼跃斑两只半大猫。

"我从未想到我们会被选中。"滚石蹦蹦跳跳地说道，"你认为我们必须打仗吗？"

"希望不会。"冬青爪回答说，"如果真的要打，记住我教你的那些动作。你应该会没事的。"

黑莓掌尾巴一摆，将众猫召集到一起。"我们去前天遭遇入侵者的那个水池，"他宣布道，"应该可以从那里找到他们的踪迹。"

"祝你们好运！"松鼠飞的声音从后面传来。

狮爪回过头来。母亲已经从洞中走出来，正蹲伏在雷鸣般的瀑布旁的一块大石头上，她火焰色的皮毛在渐渐亮起来的阳光中闪耀着。

"谢谢。"黑莓掌答道，"我们不在的时候，你要注意周围的情况。"

松鼠飞的耳朵竖立起来："我会的，别担心。"

原来，她留下来是这个原因。狮爪心想，万一这些猫都不在

时,入侵者来了,她也可以对付。

今天,众猫穿过新领地,到那个水池的路程好像不那么远了。狮爪意识到,他的肌肉已经慢慢适应了从岩石上爬上爬下,甚至脚垫都更坚韧了。

到达目的地时,褐皮说道:"有入侵者的气味,但不新鲜。估计自从我们那天看到他们之后,他们就没来过这里了。"

"他们往那边走的。"鸦羽竖起耳朵,指指那些大石头说道。从那里走过去,就是那块有豁口的岩石。"也许当时,他们正把猎物运回营地。"

"可以试试这条路。"黑莓掌表示赞同。说完,他便领头从那些大石中间走过,钻进那条石缝。

狮爪紧跟在父亲身后,一直在嗅闻空气,但很难闻出入侵者的气味,因为空气中已经混杂了他们前两次巡逻时留下的气息。他们走过与那些半大猫发生冲突的地方时,气味变得更浓一些,但走到深谷尽头时,气味完全消失了。

"老鼠屎。"褐皮嘀咕道,"千万别找不到他们了啊。"

每只猫都默默地站在那里,嗅着空气,然后环顾四周的岩石,搜寻任何不易察觉的迹象。狮爪突然嗅到了老鼠的气味,肚子咕咕地叫了起来,但他不得不提醒自己,现在不是在捕猎。但是,他们没发现入侵者的任何踪迹。

"这边!"狮爪转过头,看到冬青爪正在岩壁上突出的一块大石头下舞动尾巴,"我想,他们是从这条路走的。"

黑莓掌走过去,深吸了一口气。"没错。"他用鼻子碰碰女儿

的耳朵，"嗅觉不错。最好由你来带路。"

冬青爪的眼睛自豪地亮起来。她率先从那块大石下往前走，顺着一个陡得很难找到落脚处的山坡向上爬。爬到坡顶之后，她停了一会儿，然后开始找路下坡。狮爪和大家一起往下走，踩到松动的岩石时，他会迅速将脚掌滑向一边。他希望冬青爪的判断没错。他自己已经完全闻不到入侵者的气味了。

"你妹妹真了不起。"滚石追上他，悄声说道，"我想，就连我们的狩猎猫，可能都闻不出这点儿味道。"

"她是最棒的。"狮爪自豪地抽动着尾巴，"在家里时，她捕到的猎物总是最多的。"

到了坡底，气味再次变得浓烈起来。狮爪察觉到这里有许多猫的踪迹，皮毛顿时刺痛起来。猫群一定离入侵者的营地很近了！

他们循着气味，走过一条干涸的河道，来到两块陡峭的巨石面前。巨石往中间倾斜，顶端几乎碰到了一起，中间只有一条很窄的缝，石缝尽头一片黑暗。入侵者的气味扑面而来。

"我想，就是这里了。"黑莓掌悄悄地说道。

"我们要进去吗？"鹰崖问道。

"不。我们不知道会面对多少只猫。再者，如果擅自闯入他们的营地，无异于请敌猫来攻击我们。还是等等吧。"

众猫散开，围成一个半圆形的圈。狮爪看到，褐皮正专注地盯着那道石缝，仿佛在等着老鼠从洞中出来；鸦羽神情紧张，耳朵紧贴在头上，不时回头张望，随时保持警惕；暴毛和溪儿紧挨

着坐在一起,低声说着什么;鹰崖不安地来回走动。

狮爪走到冬青爪身旁,用头摩挲她的皮毛:"干得不错。你找到他们了。"

冬青爪抽抽胡须:"我们已经到了这里,但愿对方会和我们谈谈。"

突然,石缝中有了动静。一只猫伸出头来。狮爪认出是之前和他交战过两个回合的那只半大花斑猫。看到这些等在外面的猫时,她恐惧得睁大眼睛,飞一般的跑回石缝中。狮爪听到她发出一声惊恐的号叫声。

"他们应该很快就会出来了。"黑莓掌说道。

时间慢慢过去,每一次心跳都像一个季节般漫长。然后,狮爪看到,一只苍白的猫出现在石缝中。银斑,也就是他们刚到山中时,碰到的那只银色公猫。他从石缝中走出来,直面黑莓掌。

更多入侵猫跟在他身后走出来。狮爪认出了弗洛拉,就是那只棕色和白色相间的母猫。还有弗里克,与银斑一起的那只瘦骨嶙峋的褐色猫。黑色公猫也在那里,他们在水池边碰到过的那支捕猎队就是他率领的。他们看上去都很瘦,有些猫走路还一瘸一拐的。狮爪可以看出,山中的生活对他们来说并不容易,但他能从他们眼中得知他们的决心。

"你们想怎么样啊?"银斑问道。

黑莓掌看看鹰崖,用耳朵示意部落猫说话。

"我们想和你谈谈。"鹰崖说道,"我们想结束这种冲突。这片山地足够大,可以养活每一只猫,但我们需要划分领地,这样大

家都有相等的捕猎机会。"

他停顿了一下，仿佛在等银斑说话，但银色公猫只是摇了摇脑袋，嘀咕道："继续说吧。"

"急水部落已经设立了边界标记，圈定了我们的领地。"鹰崖解释道，"你们能够根据我们的气味找到那些标记。你们可以自由地在山地的其他地方捕猎，但不能越过边界。我们——"

他的声音被淹没在愤怒的吼叫声中，入侵者的毛纷纷直立起来，眼里愤怒的火焰在燃烧。

银斑上前一步，站到离鹰崖只有一条狐狸尾巴远的地方。"你们无权占领山中的任何一部分！"他咆哮道，"你们也无权设立边界！我们想在哪儿捕猎就在哪儿捕猎！"

"这不公平！"褐皮抗议道，"你难道看不出，我们是想——"

"这关系到生死存亡！"银斑打断她的话，将爪子伸了出来，"如果有必要，我们将不惜牺牲生命，当然，是以你们的生命为代价！"

第二十七章

恐惧像敌猫的利爪从冬青爪心中抓过。"他们根本没什么守则！"她转头看着哥哥，喘着粗气说，"甚至急水部落也懂得履行职责和做事公平，这些猫却什么也不在乎！"

她绷紧肌肉，准备跳起来战斗。他们是来讲和的，但现在看上去，休战协定注定会被打破。星族啊，帮帮我们吧，她在心里祈祷，甚至不知道在这片陌生的天空下，星族是否能听到她的心愿。告诉我们该怎么办吧。

她用尾巴示意半大猫向她靠拢。狮爪和风爪分别站到他们两侧。

"要打仗了吗？"鱼跃斑紧张地问道。

"希望不会。"狮爪回答说。冬青爪很感激他语气中透出的镇定。"冬青爪会向你们发信号的。"

她现在已经不抱多大希望，估计战斗在所难免。银斑已经说得很清楚，入侵者不打算尊重急水部落不辞辛劳设立的边界，部落猫的处境与以往无异。

面对银斑的挑战，鹰崖走上前去，直到两只猫鼻子相碰。鹰

崖威胁地眯起眼睛,竖起脖子上的毛:"如果你想打架——"

黑莓掌急忙上前阻拦。他用尾巴碰碰鹰崖的肩膀,示意他往后退。"现在不是时候。"他低声说,"我们势单力薄。最好先回山洞,看看会发生什么。"

"我知道会发生什么!"鹰崖咆哮道。

有那么一会儿,冬青爪还以为他会违抗黑莓掌,跳起来开战。然后,众猫将不得不投入战斗,支援他。

但最后,鹰崖长叹一声,低下头去。"随你的便。"他对黑莓掌说道。

黑莓掌又用尾巴摩挲这只护穴猫的肩膀,默默向他表示感谢。然后,他看着银斑说:"我们会捍卫部落的边界。如果你们擅自越过边界,后果自负!"

"很好。"银斑摆摆尾巴,"我们会记住你的话,但别忘了,你们中有些猫不属于这里。"

"他是指我们。"狮爪悄悄地说,"他知道我们迟早会回家。然后,部落猫就更弱……"

他没必要再说下去。冬青爪很清楚,族群猫一离开,部落猫便失去了保护伞,银斑便会进攻他们,但我们不能永远留在这里,她拼命压抑着对森林和石头山谷营地的强烈思念。

黑莓掌转身把他的猫带走了。他们身后传来了嘲讽的叫声。"千万别回来啊!"弗里克吼道。

回山洞的路上,太阳已经高挂在山地上空。金色的阳光温暖了岩石,但冬青爪感觉浑身冰冷,仿佛身处秃叶季。

"你认为这样就行了吗?"鱼跃斑烦躁地问道,"现在,敌猫知道我们设立了边界,应该不会再骚扰我们。"

"希望我可以参加第一次巡逻!"滚石补充道。

"我们等着瞧吧。"冬青爪摆了摆尾巴。她不确定,这些半大部落猫是否真的理解刚才发生的事,或者他们是在强颜欢笑。她不可能告诉他们,如果双方不能达成共识,边界便形同虚设。入侵者已经表明,他们丝毫没有尊重边界、尊重对手的意思。因此,他们一定会越过边界,到急水部落的领地上偷捕更多的猎物,这只是个时间问题。

武士守则不起作用了,她想。她的生活一直建立在守则之上,现在,她感到仿佛已经跳下悬崖,正向黑暗的深渊坠落,甚至部落猫也不明白这到底是怎么回事。

然后,她懊恼地摇摇头。也许部落猫没有武士守则,但他们有同样古老、同样重要的传统。也许,杀无尽部落最终会来帮助他们。

巡逻队走到那个坡下有小溪,坡上满是大石头的陡坡时,黑莓掌突然停下脚步,竖起尾巴,示意后面的其他猫停下来。"有入侵者的气味!"他低声说。

冬青爪感觉肩膀上的毛开始直立起来。她嗅嗅空气,闻到了微风从光秃秃的岩石上吹过来的一股浓烈的新鲜气味。她看不到入侵者,但感觉他们一定就在附近。

"简直不敢相信。"狮爪伏在她耳边说道。他浑身的毛发愤怒

地竖了起来，尾巴来回摆动着："我们刚刚告诉他们边界的事，他们就已经在擅闯我们的领地了。"

"看下面！"滚石用耳朵指了指那条小溪。

陡坡下，褐色入侵猫弗里克从一堆石头后面走了出来，顺着小溪向前走。他身后跟着四只入侵猫，其中一只，也就是他们之前遇到的那只黑色公猫，嘴里叼着一只老鼠，老鼠的尸体还没有僵硬。他们得意洋洋地走着，仿佛理所当然地该在那里捕猎。

我就知道会这样，冬青爪心想，我们所做的一切都没起作用。

"真是一群笨猫。"她想把心中石头一样沉重的失败感强压下去，"他们甚至闻不到我们的气味，不知道我们在这里。"

"或者，他们根本没把我们放在眼里。"狮爪补充说。

黑莓掌、鹰崖和暴毛迅速商量起来，但他们声音太低，冬青爪听不清楚。然后，黑莓掌跳到最近的一块大石上，让天空衬托出自己的剪影。"入侵者！"他怒吼道。

那些入侵猫停下脚步。同时，黑莓掌发出一声可怕的尖叫，从大石头上跳下去。巡逻队的其他猫跟在他身后向坡下冲去。冬青爪感觉到，仿佛有一股急流正在冲刷着她的皮毛。

弗里克率领的狩猎猫惊恐地抬头望了一眼，转身顺着小溪逃去。弗里克则顺着一处险峻的岩壁向上爬，一直爬到一块壁架上。然后，他低头怒视着族群猫和部落猫，耳朵紧贴在头上，嘴唇向后裂开，发出一声怒吼。

黑莓掌跑到岩壁底部。"你们越过了急水部落的边界！"他

说。冬青爪可以感觉出,他在竭力保持镇静,不过,他的声音已经愤怒得颤抖起来:"你们不仅擅闯领地,还偷捕猎物!"

"为什么不能?"弗里克反问道,"没有什么可以阻止我们!"

"我们已经解释了气味标记的事。"鹰崖走上前,站到黑莓掌旁边。

"哎呀,气味标记啊!"弗里克讥讽地说道,"我简直被它们吓得魂不附体啦。那你们现在打算怎么办呢?设置一些更坚固的标志?我们想在哪儿捕猎就在哪儿捕猎,你们无法阻止。"没等任何一只猫答话,他已经跳起来,从壁架上消失了。

"我们应该追上去。"鹰爪怒吼道,"也许把他的皮撕掉,他就会听我们的了。"

"毫无意义。"黑莓掌的声音充满沮丧,"显然,对他们的解释没起到任何作用。我们一转身,入侵者就越过了边界。不行,我们必须狠狠教训他们一番,一劳永逸。"

冬青爪走进洞时,发现洞中的气氛兴奋异常。没去巡逻的部落猫已经听说,巡逻队在入侵者营地外发生的事,他们正在热烈地讨论着。

"这么说来,他们知道边界的事了?"飞鸟问道,眼中闪着希望的光,"这是不是意味着,他们不会再来骚扰我们啊?"

"也许,我们可以安心捕猎了。"灰濛补充说。

黑莓掌挤到那些兴奋的猫中间:"不。战斗还没结束。我们没有边界。"

"不，我们有！"怒枭从两只老猫中间挤过来，站到黑莓掌面前，脖子上的毛直立着，"而且还是你亲自设立的！"

"但入侵者已经越过了边界。"暴毛说道。

聚集在周围的猫发出一阵惊愕的喘息声和怒骂声，灰色武士急忙讲述了遭遇弗里克捕猎队的经过。"他们不能那样做！"几只猫大声喊道。

"可他们已经那样做了。"鹰爪面无表情地说道。

"如果对方不承认，边界就形同虚设。"松鼠飞作出了解释。

"的确如此。"冬青爪转过身，看到尖石巫师已经坐在他的那块大石头上了。老猫怒视着黑莓掌，身上灰色的毛发愤怒地直立起来。"这么说来，我们所有的努力都白费了。你认为，我们现在该怎么办？"

黑莓掌尊敬地对老猫点点头，说："现在只有一个办法了。我们必须向入侵者宣战，彻底地打败他们。"

尖石巫师咧开嘴唇，看样子马上就会咆哮出声，他那双琥珀色的眼睛盯着暴毛。洞中的每只猫立即安静下来。"不。"巫师的声音不大，但充满愤怒，"我们已经试过一次，牺牲了太多生命。有太多只猫已经倒下，再也不能在这些山中走动了。"

"但这次不一样。"黑莓掌保证道，"你们的猫已经接受过战斗训练。而且这次，我们有明确的战斗目标：捍卫领地，而不是试图将入侵者完全赶出去。"他迟疑一下，深吸一口气，又补充说，"你们自己选择吧，或者战斗，或者被赶出家园！"

部落猫发出一阵矛盾的议论声。尖石巫师摆摆尾巴，示意众猫安静。

"那这就是你给我们的选择了？"他恨恨地说道，"很好。我们部落会作出选择，证明我们不是族群猫。"

冬青爪发现，狮爪惊愕地看了她一眼。

"他在说些什么啊？"哥哥问道，"他们当然不是族群猫。"

"巫师不想打仗。"冬青爪说道，"但他也许认为，让部落作出决定更公平。毕竟，他们必须对这个决定负责。"

部落猫有的面面相觑，眼里满是困惑，有的在窃窃私语。最后，鹰崖大声说道："尖石巫师，我们不懂你的意思。你想让我们怎么做啊？"

"我以为我已经说得很清楚了。"尖石巫师已经抑制住愤怒，但声音却冷冰冰的，"我想让你们自己选择怎么办，是找个新地方生活，还是留在这里，投入战斗。杀无尽部落不想让我影响你们的决定。"

"我就知道他们会这样。"冬青爪惊讶地听到一声愤怒的低语，回过头去，看到松鸦爪已经走过来，正盘坐在旁边。

"你什么意思啊？"她好奇地问道。

弟弟抽抽耳朵："你还没发现吗？尖石巫师想怎样传递杀无尽部落的信息，就怎样传递。谁知道是真是假呢？"

冬青爪警觉地盯着松鸦爪。他怎么能这样说？没有任何族群猫敢谎传星族的信息。部落猫与他们的区别会这样大？

尖石巫师又开始说话了。"想开战的请到洞的那一头，"他摆摆尾巴，"想逃跑的，到另一边去。千万记住，急水部落的未来就

掌握在你们自己手中。"

"但愿他们还有未来。"狮爪悄悄地说道。

过了好一会儿，没有一只猫移动脚步。冬青爪心想，部落猫一定是搞不懂，尖石巫师到底要他们做什么。然后，她发现那只瘦骨嶙峋的白色老猫暴云，正与另一只棕色斑点公猫低声交谈。

"雨水，你怎么想？"暴云问他，"打还是逃？"

老公猫厌恶地哼了一声："我从来不想打仗，但我已经老得逃不远了。"

就在两只老猫那边，两只母猫也正把脑袋凑到一起，焦急地嘀咕着什么。

"栗鹰爪，我们怎么办？我还在给幼崽哺乳，不能打仗。孩子们又没办法逃，他们的眼睛都还没睁开呢！我不会离开他们的。"

"别担心，鹭翔。"那只母猫安慰地说，"没有谁会让你抛下幼崽。我也不会离开我的孩子，尽管他们比你的大一些。"

鹰爪走到她们旁边，两只母猫抬起头，迟疑地看着他。

"选择战斗吧！"大块头护穴猫号叫道，"这样，部落就会像保护所有猫妈妈和幼崽一样，保护你们。"他伸出尾巴环抱着两只母猫，拉她们走到"打仗"的那边，威武地站在她们旁边，仿佛已经在保护她们免遭危险。

现在，冬青爪已经可以看出，部落猫正在分成两组。滚石和鱼跃斑迅速跳到"打仗"那边去了；怒枭在她们身后怒骂了句什么，冬青爪没听清。然后，怒枭和其他半大狩猎猫一起走到洞的另一边。无星之夜向鹰爪走去。但让冬青爪吃惊的是，灰濛选择了"逃跑",飞鸟犹豫片刻之后,也作出了同样的选择。

冬青爪发现自己的心跳得咚咚响,肌肉已经绷紧了。她不知道,自己为什么觉得部落猫应该继续在山地生活。她只知道这的确很重要。如果他们离开家园,将不得不遭受大迁徙那样的艰难困苦,不得不面临更多的危险。而且,他们的所有传统,所熟悉的一切,都将被抛在身后。他们将不再是部落猫。

还没作出选择的猫已经不多了。鹰崖仍然站在洞中央,神情痛苦。最后,他轻轻地对黑莓掌点点头,走到选择打仗的猫群那边。鹰爪用尾巴尖碰了碰他的肩膀,以示欢迎。

整个过程中,暴毛和溪儿一直相互依偎着默默地站在那里。最后,溪儿抬起头,用祈求的目光看着暴毛。暴毛用鼻子摩挲她的耳朵,然后把尾巴放到她背上,把她带到哥哥鹰爪身边。

"他们也要选择吗?"狮爪悄悄地问,"他们是部落猫还是族群猫啊?"

"估计他们自己也不清楚。"冬青爪回答说。

族群猫留在洞中央。部落猫一只只离开后,他们慢慢地站到一起。最后,洞中央只剩下他们了。冬青爪心跳加快,因为她发现,"打仗"那边的猫更多一些。

"他们已经选择了战斗。"她悄声对松鸦爪说道。

弟弟抽了抽尾巴:"很好。"

黑莓掌看看洞两边的猫,然后对尖石巫师点了点头。"巫师,它们已经作出选择。"他宣布道,"你的部落准备战斗。"

尖石巫师的毛发立即竖立起来。冬青爪能够看出,他没料到

会是这样。他眯起眼睛，怒视着黑莓掌。"那就这样吧！"他恨恨地说道，"愿你们今晚能睡个好觉，族群猫。这场战斗也许会毁了我的部落。"

黑莓掌一直等着巫师从那块大石上跳下来，最后摆了一下尾巴，消失在通往巫师巢穴的通道中。然后，他转身看着洞里的其他猫。选择打仗的部落猫都神情紧张，仿佛他们已经意识到，自己刚刚作出了一个多么重大的决定。

"好了，该做准备了。"黑莓掌的声音轻快而自信，"我们必须立即出击，不给入侵者先进攻的机会。今晚是满月，对我们有帮助。"

冬青爪不由得向后一缩，身上的每根毛都抗议地直立起来。满月是和平的时候！在湖边，族群猫会在小岛上召开森林大会。尽管她知道这不可能，但脚掌仍然想带她走出山洞，走下山，走回家。她只好提醒自己：满月对部落猫不是什么特别的时候。

"希望接受更多战斗训练的猫，请跟松鼠飞和冬青爪走。"黑莓掌继续说，"鹰崖和鹰爪，我想请你们帮我制定战斗策略。松鸦爪，看看能否找到一些疗伤药草，我们回来的时候可能需要用。"

"好的。"松鸦爪说完，又嘀咕道，"尖石巫师不会帮我们的。"

"记住，"黑莓掌说着，严肃地朝洞穴四周看了看，"这场战斗与武士守则或部落守则无关。正如入侵者所说，这是一次生与死的较量。你们，急水部落，将是胜利者！"

说完，他一动不动地站在那里，琥珀色的眼睛里闪着光。部落猫高声附和他。

月亮透过瀑布照射进来，在洞里洒下一片银光。准备出征的群猫聚集在洞口，等着踏上急水之路。冬青爪站在狮爪身边，马上就要投入真正的战斗了，她感觉到哥哥兴奋得浑身颤抖。他尾毛蓬松，尾巴看起来比平时大了一倍，琥珀色的眼睛闪闪发光。

"过来。"一条尾巴搭在了她的肩膀上。她跳起来，转过身，发现是松鸦爪。"到这里来。"他又说了一遍，还用尾巴示意，"我有话说。"他的声音中也有一种压抑的紧张，仿佛他也正面临自己的战斗。

"你想说什么啊？"狮爪问道，同时回头看着其他猫消失在小径那头，"我们必须走了。"

"不会耽误多久的。"松鸦爪把他俩拉到洞中一个幽静的角落里，外面有一块大石头挡着。哥哥姐姐在他身边蹲伏下来之后，他继续说道："你们必须当心。记住，这里没有星族在天上看顾你们。"

"这里有杀无尽部落。"冬青爪提醒他。

"不，没有。"松鸦爪急速抽动着耳朵，"杀无尽部落已经放弃了。他们根本不会帮你们。"

弟弟怎么可能知道？冬青爪感到很纳闷儿。但现在，没时间问他这些了。反正她已经学会不问松鸦爪是怎样发现他知道的那些事的了。

"嗯，你不用担心我们——"狮爪说道。

"我不是担心。"松鸦爪那双蓝色盲眼显得异常严肃，"无论发生什么，你们必须回来。这比你们想象的更重要。"

"你知道的,我们又不会悄悄跑掉。"狮爪咕哝着。

松鸦爪恨恨地说道:"你们究竟想不想听……"

他那副严肃的样子让冬青爪有些害怕。她很想知道,弟弟究竟想要告诉他们什么。但就在这时,她听到瀑布方向有谁在喊她的名字。

"冬青爪!狮爪!"原来是黑莓掌还在等他们。

"来啦!"她大声喊道。

她和狮爪急忙爬起来,箭一般地冲出洞穴,顺着急水之路跑去。走到雷鸣般的瀑布下方时,她仿佛听到松鸦爪最后大吼了一声:"你们必须回来!"

驱逐之战

OUTCAST

第二十八章

满月下的山地沐浴在银色月光中，岩壁上一块块突出的岩石投下浓浓的阴影。狮爪走在父亲身边。

"记住，"黑莓掌看着他和冬青爪说道，"你们不是在证明什么。不到万不得已，不要去和那些你们打不过的猫较量。"

"我们可不想被撕掉耳朵。"冬青爪摇摇尾巴说。

"那就多当心点儿。"黑莓掌用那双琥珀色的眼睛慈爱地看着他们，"如果我不能把族猫安全带回家，该怎样面对火星呢？"

狮爪浑身颤抖，心中充满期待。每走一步，就离真正的战场更近一步。他身上的每个细胞都渴望让父亲和雷族为他自豪，但他不仅仅是在为雷族和武士守则而战，也是在为急水部落而战，与那些已经和他成为朋友的部落猫并肩作战。部落的敌猫就是他的敌猫，因为入侵者已经明确表现出他们没有信誉守则，他们不会承认，将群山划分成独立领地是公平行为。

他看到风爪就在不远处，这名风族学徒也做好了战斗准备。他毛发直立，龇牙咧嘴，姿势凶猛。他就走在鸦羽身后，但他父亲没主动鼓励他。狮爪感到一丝同情。如果风爪的父亲是黑莓掌而

283

不是鸦羽,也许他不会成为一个那么讨厌的毛球。

一团阴影从岩石上渐渐移动过来。狮爪抬起头,看到一片乌云正慢慢遮住月亮。他打了个寒战,仿佛脚垫突然踩到冰上了。难道这意味着星族发怒了,因为他们违背了休战协定?但他又想起星族不在这片天空。松鸦爪警告过,没有谁会帮他们。而且没过多久,乌云又飘走了,明亮的月光重新照耀群山。有时,云只是云。

这些渴望战斗的猫到达入侵者的营地时,月亮已经升到高空,万籁俱寂。狮爪盯着两块倾斜巨石间那道狭窄的缝隙,但看不出黑暗中有什么东西。

"我看不出有任何守卫者的迹象。"冬青爪悄悄地说。

"他们可能以为没必要。"狮爪说道,"毕竟,部落猫力量太弱,不会对他们造成任何威胁,你说对不对?"

冬青爪的尾巴竖起来,绿色眼睛兴奋地闪着光:"没错!"

黑莓掌用尾巴做了个动作,把众猫召集到身边,带到巨石的阴影中。"我和鹰崖将把大家分成几个战斗小组。"他说,"每个组都有族群猫、部落猫、学徒和半大猫。这样,力量最平均。我们的计划是,先将敌猫引诱到这里,再向他们发起进攻。否则,我们将在他们的地盘上作战,而且是在黑暗中。"

狮爪又向黑乎乎的石缝中看了看,然后看着黑莓掌,反驳道:"这样做可能不对。"

黑莓掌扬起头:"为什么?"

"因为石缝中不可能一片漆黑。敌方的巢穴在里面,他们总

不可能摸黑到处走,不是吗?"

黑莓掌眯起眼睛:"你说得对。一定有通风和透光的出口。"

"我们应该找到它!"狮爪的脚垫兴奋得刺痛起来。

父亲又想了想,然后点点头。"好吧。我们应该搞清具体情况之后再进攻。如果另有出口,他们可能从那里出来,从背后袭击我们。"他用耳朵指指那些巨石,"我们走。冬青爪,风爪,你们一起去。"

"我也去!"滚石跳了起来,"我熟悉岩石。"她补充说,"也许能帮上忙。"

"那走吧。"黑莓掌说道,"鹰崖,你可以开始分组了。每只猫都要像围捕猎物时一样,尽可能保持安静。我们必须先做好准备,才能开始进攻。"

五只猫小心翼翼地走过石缝前的开阔地,踏上一块倾斜巨石旁的狭窄小径。狮爪严阵以待,只要石缝中有任何动静,他就可以马上投入战斗。但里面只是黑洞洞、静悄悄的。

那两块倾斜的巨石其实就是一个斜坡的一部分,斜坡上乱石林立,坡顶有一道石脊。小径在乱石中蜿蜒伸展,一直通到坡顶两块巨石几乎相连接的地方附近。狮爪匍匐下来,慢慢向巨石靠拢。

"风爪,密切注意下面。"黑莓掌悄悄地说道,"如果有入侵者出来,马上告诉我。"

被黑莓掌单独挑选出来后,风爪颇感自豪。他急忙匍匐在地,扭动身体向前爬行,直到能俯瞰斜坡底下的空地。

狮爪嗅嗅石脊周围的石头,发现有一股浓重的猫的气味,他已经慢慢熟悉入侵者的气息了。但他不知道气味是从哪儿传来的。然后,他在两块岩石之间发现了一条裂缝,那里的气味特别浓。

"我找到啦!"他轻声喊道。

黑莓掌、冬青爪和滚石急忙围过来。狮爪把头伸进裂缝,看到岩石间果然有一个通风口,底部是一圈沙地。月光下,他的头在沙地上投下清晰的剪影。没有猫的踪迹,但气味更浓了。

"我看看。"滚石性急地说道。

狮爪退出来,让这只半大猫来到裂缝前。她向下看了一会儿,然后抬起头,蓝眼睛里闪着光。"他们绝不可能从这条路走出来。但我可以爬下去。"

"好主意!"狮爪真想像一只激动的小猫那样跳起来,"我们都可以爬下去,把那些猫赶到武士守候的空地里。"

黑莓掌摇摇头:"不行,这太危险了。"

"不,不危险。"冬青爪用头碰碰父亲的肩膀,"对方根本想不到我们会从天而降,他们一定会吓得四处逃窜。"

"那我下去吧。"黑莓掌说道。

狮爪嘲笑地喵了一声:"你以为,你这个大块头能从那个洞口爬下去吗?这是年轻猫干的活。嘿,风爪!"

他招呼风族学徒过来,向他说明了计划。风爪紧张地吞了下口水,说:"明白了。"

"我还没说你们可以下去呢。"黑莓掌说,"这计划是不错,但

你们可能掉下去,摔断脖子,更别说入侵猫会怎样对付你们了。"

"我不会摔下去。"滚石一副自信满满的样子,"其他猫如果小心一点儿,也不会摔下去。有许多可以踩踏的岩石。"她解释说,"你必须先把脚站稳,然后再移动身体。与吃猎物一样简单。"

对你来说也许是,狮爪心想,但他现在不能打退堂鼓了。"我们必须这样做。这可能对战斗结果和急水部落都很重要。"

黑莓掌无奈地叹了口气:"你说得对。而且,你们是学徒,不是育婴室里需要保护的幼崽了。很好,你们可以下去。"

狮爪凝视着冬青爪闪亮的眼睛,希望自己的眼神足够坚定。

"我下去告诉其他猫。"黑莓掌继续说,"看到我走回空地之后,你们再下去。我们会做好迎战准备。"

他用琥珀色的眼睛凝视了狮爪片刻,然后看看冬青爪,随即转身消失在小径上。

风爪重新爬回警戒位置,滚石则迅速重复了一遍攀爬要领。"别往下看。"她最后说道,"如果头晕目眩,会摔下去的。"

风爪爬了回来:"黑莓掌下去了。"

"那我们走。"狮爪说。

"我先行动。"滚石已经转过身,把后腿及臀部伸进那个通风口中,"仔细看清楚,我是怎样爬的。"

洞口没有足够的空间让剩下的三名学徒都凑过去看。风爪的耳朵挡在前面,狮爪好不容易才看清,滚石是怎样小心翼翼地往下爬的。每次她都会先试试脚下是否踏实,然后再把身体的重量移动到那只脚上。

"我跟着下去吧。"他说,"不能让她单独待在洞底。"

冬青爪和风爪退后一步,让他站到洞口。他学着滚石的样子,先把后腿及臀部伸进洞口。有那么一会儿,他有些惊慌,生怕自己个子太大,爬不下去。他将肩膀紧紧地贴在通风口的岩壁上,勉强把身子塞进洞中,四只脚紧抓着岩壁。他听到滚石在下面说:"很好。慢点儿爬。"

狮爪牢记住她说的话,没有往下看。他用爪子紧紧地扒住岩壁上的小裂缝,谨慎地往下爬。有一次,他脚底一滑,惊恐地倒抽了一口凉气,慌乱地在岩壁上寻找下一个落脚点。找到之后,他休息了一会儿,心跳得咚咚响,还以为一定会将这里到湖边的每只猫都惊醒呢。

他听到风爪在上面不耐烦地说:"你要在那里挂一晚上吗?"

狮爪咬紧牙关。他不能让这名风族学徒看出他很害怕,便急忙寻找下一个安全向下爬的落脚点。很快——比他预想的快——他就听到身下传来滚石温柔的声音。

"你可以放手了。"

狮爪绷紧肌肉,用力一推岩壁,落在下面不远的沙地上。不久之后,风爪咚的一声落在他旁边,冬青爪紧随其后。

"棒极啦!"滚石的眼睛在月光下闪动,"现在该怎么办呢?"

狮爪抖掉毛发中的粗沙,环顾四周。一条通道从他们所站的沙地通往别处,通道是弯的,他看不远。入侵者的味道扑面而来。

"在这里等着。"他悄声说道。

他像围捕老鼠一样,轻轻爬到通道所在的转弯处,探头张望。弯道那边是个更宽敞的空地,地上铺着沙子,两边的墙角堆满了苔藓。他只能看见两只竖起的耳朵,由此推断至少有一只猫睡在苔藓中。他还听到了幼崽的叫声。他嗅嗅空气,闻到了猫后的乳汁味。通道更远处传来动作声和说话声,好像是许多猫在准备睡觉。

他悄悄回到同伴身边,低声报告说:"有个育婴室,就在那边。我们不惊动猫后和幼崽,好吗?其他猫离这里更远,但离洞口很近。我想,他们不知道我们来了。"

"那我们怎么办?"冬青爪问。

"我们不能在这里开战,只把敌猫吓出去就行了。因此,我们可以冲过去,边跑边号叫,好像后面有一大群獾似的。"

滚石不解地问道:"你说什么?"

风爪转转眼珠,解释道:"獾,一种长牙齿的恐怖的大动物。"

"我们不能被困在这里。"狮爪蹲伏下来,绷紧肌肉,准备跳起来,"好啦,跑!"

他一跃而起,发出一声刺耳的尖叫。同伴们跟着他跳起来,像一大群鏖战的族猫一般吼叫着。通道那头传来惊恐的叫喊声。狮爪瞥到了那个姜黄色和白色相间的猫后的身影,她正缩在岩石边,幼崽们挤在她的肚子上。他飞跑过去,跳进入侵者睡觉的洞穴中。

入侵者惊恐地尖叫着,争先恐后地向入口处跑。狮爪已经做好战斗准备,但从洞中跑过时,没有一只猫阻拦他。那条通向外面的狭窄缝隙已被夺路而逃的猫群挤得水泄不通。狮爪猛地转

过身,背靠岩壁,伸出爪子,但离他最近的那只猫,一只四肢瘦长的姜黄色公猫,只是恐惧地看了他一眼,就挤进石缝中,逃命去了。片刻之后,洞中已经空了,只剩下四名学徒。

冬青爪发出最后一声可怕的尖叫声,停下脚步,大声喘着气说:"成功了!"

众猫的号叫声从石缝中传来。黑莓掌正率领武士们在外面激战。狮爪长长地吸了一口气,嗅嗅空气中的血腥味。"我们出去!"他催促道。

现在,出洞的路已经畅通无阻。狮爪从石缝中冲出去,来到空地上。巨石前宽阔的空间里,群猫正在鏖战,部落猫、族群猫和入侵猫斗志正酣。月光下,混杂的虎斑色、姜黄色和白色身影在眼前晃动,狂怒而痛苦的嘶叫声撕裂夜空。

狮爪的耳朵突然竖立起来,好像听到身后传来一声低语。"狮爪,快!"他急忙回过头去。他是否真的听到了虎星的声音?暗影中,没有那只黑色虎斑猫的身影,也没有闪闪发亮的琥珀色眼睛,但战斗的号令却是那么的清晰。

就在他前面,那只褐色入侵猫弗里克已经把怒枭按在地上,同时用爪子去抓半大猫的肚皮。狮爪怒吼一声,扑到他身上,狠狠地朝他脖子上咬去。弗里克又惊又痛,嗷嗷大叫着暴跳起来,试图摆脱狮爪。怒枭趁机扭动身体,从他爪下脱身而出,转眼便消失在黑暗之中。

狮爪失去平衡,但仍然吃力地将弗里克推翻在地,并用后爪猛抓他的肚皮。褐色皮毛翻飞,温热的血液飞溅出来。然后,他用

290

力地向弗里克的喉咙抓去。弗里克伸出一只脚掌，抓住他的耳朵，摇摇晃晃地站起来。狮爪放他跑了。

他站在那里大口喘气，寻找下一只敌猫。突然，刚才那个声音仿佛又响了起来。"狮爪，看后面！"他迅速转身，看到一只巨大的灰白色公猫就在眼前，他的皮毛已经浸满鲜血。狮爪急忙闪到一边，同时在入侵者身上猛抓一把。

他爬上一块大石头，俯瞰月光下的战场，看到冬青爪和滚石正并肩作战，试图冲破敌猫的包围，向黑莓掌和银斑身边靠拢。黑莓掌此刻正和那只入侵猫扭打在一起，只见身体翻滚，利爪舞动，毛发纷飞。他还看到，松鼠飞跳上前去追一只黑色公猫；公猫从一块大石边跑过，转眼就不见了。松鼠飞站在那里，姜黄色的尾巴拖在身后，狂怒地龇着牙齿。

灰濛就在狮爪下方，正与一只黑白相间的母猫在拼命；母猫已经咬住他的肩膀，他狂乱地蹬着脚掌，试图摆脱她，看上去，他的体力正在迅速耗尽。

"我来了！"狮爪号叫一声，从大石上跳下来，落在入侵猫的肩膀上，同时爪子插入对方的皮毛。这正是他之前与蕨毛在森林里训练过的动作。母猫松开灰濛，顺势滚过来，将狮爪压在她硕大的躯体下。狮爪顿感呼吸困难，因为口鼻已经被母猫的皮毛堵得严严实实。他奋力挣扎着，好不容易才呼吸到一口空气，便马上痛苦地痉挛起来，他感觉母猫的牙齿已经咬住他的一只耳朵。"快想办法！"那个声音再次响起，这次，狮爪仿佛看到了鹰霜那双冰蓝色的眼睛。

他先让四肢松弛下来。母猫稍一放松，他立即奋力向上一撑，摆脱耳朵上的牙齿，将母猫推翻在石头地面上。母猫爬起来，半蹲着身子，准备再次向他扑来。他摆好姿势，准备迎战。

突然，狮爪看到冬青爪和风爪向他冲来。他们兵分两路，向母猫两边包抄过来。入侵猫跳起来，伸出爪子。狮爪闪身躲过，贴着母猫的皮毛，从她肚皮下钻了过去。母猫从他身上飞过，不偏不倚地落在冬青爪和风爪面前。两名学徒挥动爪子，同时向她两边的腹部抓去。母猫立即号叫着逃之夭夭。

"太棒啦！"狮爪喘息着重新跳起来，"风族一定也教过这个动作！"

现在，鏖战的众猫已经将他和那两名学徒分开。他旋即重新投入战斗。他听到热血在胸中奔涌，仿佛爪间拥有二十只猫的力量，生命力前所未有地旺盛。随着一只又一只猫从他爪下仓皇逃窜，他恍然大悟，原来，他生来就是为了这样的战斗。

过了好一会儿，没有任何猫跳过来迎战。狮爪像追逐自己尾巴的小猫一样转着圈。你在哪儿？出来战斗吧！

"狮爪。"这次不是那个神秘的低语声，而是父亲镇定的声音，"狮爪，别转圈了。战斗结束了。"

狮爪停下来，两眼盯着黑莓掌，牙齿仍然龇着。"没有结束。"他说，"不把最后一个入侵者打败，战斗就没有结束。"

"狮爪，镇定下来。"黑莓掌说，"他们已经被打败。我们胜利了。"

狮爪仍然盯着父亲。他的第一个反应是失望。肌肉、牙齿和

爪子的奇妙协作就这样结束了? 再也看不到敌猫逃跑时眼中的
恐惧了? 他深吸几口气,向四周看了看。族群猫和部落猫正看着
他,仿佛对他刮目相看,又或许是心存恐惧? 为什么? 我做了什
么?

"狮爪,你打得漂亮极了。"鹰崖小声告诉他,"只要急水部落
还在,就将永远铭记你的战斗技巧和勇气。"

狮爪低头看看自己, 发现皮毛纠结到一起, 鲜血正慢慢变
干。他感觉浑身黏糊糊的,燥热难忍,还闻到了恶臭的血腥味,他
的肚皮急剧地起伏着,身体也摇晃起来。然后,冬青爪走到他身
边,绿色眼睛里满是惊恐。

"你伤到哪里了? "她焦急地问道。

狮爪困惑地摇摇头。他只感到那只被咬伤的耳朵在疼,还有
脚掌,但那是这几天攀爬岩石的结果。"我没事。"他嘟哝道。

冬青爪还没来得及说什么, 几只入侵猫已经胆战心惊地从
岩石中爬出来。银斑在最前头。他肩膀上的大多数毛都被撕掉
了,口鼻还在流血。他一瘸一拐地走到鹰崖和黑莓掌面前,向他
们点点头。

"你们赢了。"他喘息着说,"如果你们不伤害我们的猫后和
幼崽,从现在起,我们会尊重你们的边界。"

鹰崖和黑莓掌对视一眼, 仿佛正在考虑银色公猫刚才说的
话。狮爪有点儿想大吼一声,不! 把他们驱逐出去! 但他没出声。

"部落猫不会伤害猫后和幼崽。"鹰崖最后说道,"只要你们
老老实实待在自己这边,不侵犯边界,我们不会侵扰你们。"

你们都去哪儿了？出来打呀！

狮爪，停下来！

战斗已经结束了。

还没有，不到最后一个入侵者被打败，战斗就没有结束！

冷静点儿，狮爪，他们已经被打败，我们赢了。

银斑又点点头，然后摆摆尾巴，带着他的残猫败将穿过石缝溜回营地去了。

狮爪看着他们离去。刚才这次战斗中，虎星和鹰霜真的在与他并肩作战吗？ 或者，他们的身影还在湖边的森林中，等着他回去？ 此刻，周围已经没有声音了，已经没有猫赞扬他杰出的战斗技能了，只有冬青爪在检查他的伤势。

"躺下来休息吧。"她恳求道，"你想让我去把松鸦爪带来吗？我能想办法把他带到这里来。"

"我没事。"狮爪坚持说，"我不需要帮助。"

武士、学徒，以及半大部落猫已经在黑莓掌面前集合，准备踏上归程。狮爪走过去加入到他们的行列中。他站到风爪和滚石旁边，不想理会冬青爪的小题大做，但冬青爪固执地走到他的另一边，显然认为他随时都可能倒下。

滚石眼里闪着光。"你看到他们逃跑的样子了吗？"她说。

"我早就知道，族群猫能解决部落猫的问题。"风爪傲慢地对她说，"部落将永远感激我们！"

狮爪看到了冬青爪那双绿色眼睛里担忧的目光，知道她心里仍然不踏实。不过，他们已经赢得这场战斗。他已经赢得这场较量。而且，他还能马上从头再打一次。

第二十九章

松鸦爪躺在还残留着哥哥姐姐气味的窝里。心情一直不能平静，他没打算睡着，而是竖起耳朵，期待听到武士们回来的声音。万一冬青爪或狮爪战死怎么办？如果三只猫突然变成两只，甚至一只，那个预言会怎样？他怎能忍受失去他们？

今晚，永无休止的瀑布仍然在轰鸣，流水声依然在山洞中回荡，但听上去有些不同，显得很空洞，因为山洞里空荡荡的。两只猫后和幼崽在育婴室里，老猫暴云和雨水已经回到他们睡觉的地方。翅影，就是那只在争抢老鹰的战斗中身负重伤的狩猎猫，就睡在不远处。其他猫都去打仗了，因为入侵者一定会全部投入战斗，所以，没必要留下护穴猫保护山洞。

最后，松鸦爪终于无法保持镇静了。他站起来，走过山洞。走到那个从岩石上滴落的冰冷水滴形成的小水坑时，他还停下来舔了几滴。然后，他顺着那条通往巫师巢穴的通道往前走去。

洞中一片寂静。松鸦爪感觉到微风拂面，嗅到了部落巫师浓烈的气味。

"尖石巫师？"他喊道。

　　"我在这里，松鸦爪。"老猫的声音从洞那头传来，听上去很悲哀，仿佛已经被彻底打败，"你有什么事吗？"

　　"杀无尽部落有什么信息吗？"松鸦爪问。

　　"没有。我盯着水坑看了很久，但除了月亮，我什么也没看见。"

　　松鸦爪心中一阵刺痛。他知道，尖石巫师向部落猫谣传了杀无尽部落的信息，试图怂恿他们选择逃跑，以此证明黑莓掌和族群猫不能对他们产生多大影响，但他的计划失败了。部落猫选择了战斗，把他留在这里独自面壁。如果部落猫打赢了，他们将继续在这里生存，但再也不会得到祖灵的支持。他的痛苦像河流一般流过洞穴。松鸦爪不禁可怜起他来。

　　"对不起。"他说。

　　"也许，杀无尽部落已经对我们失去了信心。"尖石巫师有气无力地回答道。

　　"我相信，不是这样的。"松鸦爪想起了峭壁下的那个水池，也就是他曾直面杀无尽部落的地方。他醒着的时候，曾无数次重温梦境，认为自己已经明白了梦中的所有含义，但他仍然不清楚，这个梦对他意味着什么。

　　"松鸦爪。"一个刺耳的声音从身后响起。

　　松鸦爪转过身，惊得毛发倒竖。他看到岩石那光秃而松弛的身体和瞎眼就在前方。可我现在没做梦啊！尽管四周一片漆黑，远古猫身上却闪着微光，仿佛站在月光之下。他还像幻影一般飘浮在空中。

　　松鸦爪的心狂跳起来，急忙将所有意识集中起来，去感受尖石巫师的存在，但老猫的气味没有改变，那种隐隐的痛苦也没变。他不敢说话。

　　"尖石巫师听不到我说话，也看不到我。"岩石说，"只有你能。"

　　"你怎么来了？"松鸦爪的声音在颤抖。

　　"仗已经打赢了。你现在可以回家了，你们都可以回家了。"

　　松鸦爪强压心中的惊喜。冬青爪和狮爪安全了！但他确信，岩石到这里来，不仅仅是为了告诉他这件事，因为他天亮之前就会知道这个消息。这其中一定另有原因。

　　"部落猫一定打得不错。"松鸦爪说，"也许现在，杀无尽部落对他们更有信心了。"

　　"为什么？"岩石反诘道，他的声音显得很暴躁，"是族群猫救了急水部落。"

　　"这有什么不对吗？"松鸦爪问道。在湖边时，他是那么渴望再次与岩石说话，但现在，每次见面，这只远古猫好像都比上次更沮丧。

　　"星族没派你们来。"岩石回答说，"杀无尽部落也没邀请你们。"

　　"但——"

　　"别说了！"岩石摆了摆那条光秃秃的卷尾巴，没好气地说，"你们来了，打了胜仗——至少打赢了这一仗。但你认为那些边界管用吗？部落不是族群，没有保护领地的经验。入侵者也没什

么守则可以让他们信守诺言。"

"那我们来这里没起到任何作用？"松鸦爪沮丧地问。

岩石摇摇头："不。你们也学到了很多东西。而且，部落猫至少可以暂时吃饱肚子了。"他那双凸出的眼睛好像凝视着阴影中的什么东西，那是松鸦爪看不见的。

松鸦爪深吸一口气："部落猫来这里之前，你就认识他们了，对吗？他们是从湖那边迁徙过来的。"

他满意地看到，岩石颇为吃惊。"是的。你怎么知道？"

"部落猫的祖灵让我看到了山中的那个水池。"松鸦爪解释说，"他们找到了另一个月池，与湖边那个很像。"

"他们抛弃了许多旧的生活方式。"远古猫的声音很痛苦，"但仍然在追求水边的宁静。"

松鸦爪的心跳得更厉害了，但他不得不继续往下说："部落猫早就认识我，就像你认识我一样。你们一起生活时，那个预言就存在了，是吗？"

岩石低下头："是的。我们已经盼了你们很久。现在，你们终于来了。"松鸦爪浑身一颤，凝视着老猫的那双瞎眼，心里既害怕又高兴。"另外两只猫也应该知道。"岩石继续说，"这不仅仅是你的命运，你不能独自踏上这条路。"

"松鸦爪！松鸦爪！你在哪里？"冬青爪的声音从大洞中传过来，"快过来！"

岩石仿佛被一对黑色翅膀环抱，转眼间就不见了。现在，除了无声无息的尖石巫师，巢穴中只剩下松鸦爪。他摸索着走到通道口,快步出去迎接姐姐。

"是狮爪！"她上气不接下气地跑过来,匆匆舔了一下他的耳朵,"他浑身是血。他说没受伤,但那些血一定是从哪儿流出来的。我们必须帮他。"

"他在哪里？"

"外面。水池边。"冬青爪说道,"我叫他躺在那儿休息。"

松鸦爪跟着姐姐走出洞穴,来到瀑布边。族群猫和部落猫从他身边蜂拥而过,大声地向留下来看守的猫报告胜利的喜讯。松鸦爪闻出了鹰崖的气味,听到这只大块头护穴猫说:"我去告诉尖石巫师。"

冬青爪顺着急水之路往前冲去,第一次没有担心松鸦爪能否跟上。松鸦爪紧跟在她后面,皮毛紧贴岩石,感觉腹部凉飕飕的。

他的心又开始狂跳起来。他刚才已经确信,冬青爪和狮爪都安然无恙地回来了,难道哥哥的性命终究还是会被夺走？

跑到水池边后,他嗅嗅狮爪的皮毛,震惊地发现,哥哥的毛皮上沾满了半干的血。"我们得先把他身上的血弄干净。"他故作轻松地说,试图掩饰心头的恐惧,"否则我怎么知道下面有什么伤？"

"到离瀑布近点儿的地方来。"冬青爪建议道,"瀑布的飞沫可以帮我们把血清洗干净。"

三只猫移动到水池边,直到松鸦爪感觉到水滴溅落在他身上。

　　"希望你们不要这样大惊小怪。"狮爪抗议道，还故意提高声音，以便弟弟妹妹能在瀑布声中听到他说话，"我一直都在说，我很好。"

　　他的声音让松鸦爪浑身又一颤。哥哥的声音听上去很遥远，仿佛他已经被打晕，这场战斗不仅影响了他的身体，还影响了他的心灵。"我说你没事，你才没事。"他没好气地说。

　　"我没受伤……"狮爪听上去好像已经恍惚，"没有猫能碰我一下。"

　　"闭嘴，让我给你舔舔。"冬青爪责骂道。

　　松鸦爪和冬青爪仔细舔干狮爪毛上的血。松鸦爪慢慢地意识到，哥哥的确没事。除了那只被咬的耳朵和肿胀的脚垫以外，他没受伤。

　　"你不需要什么药草。"松鸦爪如释重负地说，脚掌兴奋得颤抖起来，但他竭力掩饰着，"一定要保持那只耳朵干净。我会每天给你检查，直到它痊愈。"

　　"你真的没事了！"冬青爪兴奋得声音发抖，"那些血都是其他猫的！松鸦爪，你要是在那儿就好了。狮爪的战斗力不亚于整个族群的力量！"

　　"我们打赢了。"狮爪的声音听上去更正常了，好像弟弟妹妹刚才的一阵狂舔，将他从某个遥远的地方带了回来。

　　冬青爪不安地说道："无论如何，我都不信任入侵者。我也不知道，部落猫是否能够捍卫他们的新边界。"

　　听到姐姐说出岩石刚才在巫师巢穴中向他警告的话，松鸦

 302

爪心里翻腾起来。

"如果我们不会成功,那我们跑到这儿来干什么?"她继续说,声音有点儿阴郁,"难道杀无尽部落错了?"

松鸦爪伸出尾巴碰了碰她的肩膀,说:"急水部落的祖灵不想我们来这里。星族也没派我们来。我们来山地是为了打赢这场战争,因为我们需要给自己的问题找到答案。"冬青爪和狮爪都没有反应。他又补充说:"我们都想到山地来,不是吗?"哥哥和姐姐点了点头。"那你们还不明白吗?正因为发生了这些事情,我们才能来这里。这一切都是因为我们。我们赢得了这场战斗。没有我们,急水部落可能逃过这次劫难,也可能逃不掉,但这些已经不重要了。星族、杀无尽部落、岩石一直都在等我们。"

"你说的是谁啊?"冬青爪感到很疑惑。

"你在说什么啊?"狮爪问道,"你脑子里进水了吗?"

松鸦爪在水池边蹲伏下来,又用尾巴示意他们靠近一点儿。"你们听着,"他说,"我有重要的事要告诉你们……"

下集预告

经过艰难的跋涉,支援急水部落的族群猫终于回到了湖边森林。然而,族群间也不太平。

风族三番两次地潜入雷族领地偷猎,最后竟演变成夜袭雷族营地,一场大战即将上演。然而,风族是如何神不知鬼不觉地得逞的呢?

米莉生下了三只小猫,正当大伙儿沉浸在喜悦之中时,一只名叫日神的独行猫来到雷族营地,他告诉了叶池和松鸦爪一个可怕的预言——太阳将会消失,黑暗即将来临。

火星派出三支巡逻队,在雷族领地与风族狭路相逢,随后,河族与影族也先后加入战局,空前的四族大混战顺势爆发。族猫们激战正酣,然而,意想不到的事情正在发生:天空中,太阳慢慢地消失,黑暗逐渐吞噬大地。独行猫日神的预言成真了。

松鸦爪想查出太阳消失的原因,及其与三力量预言的联系,于是叫上狮爪和冬青爪,踏上了寻找日神的旅程。

他们能得偿所愿,找到自己的命运吗?这可不是件容易的事儿,更多的麻烦还在后头呢!

请看下集《天蚀遮月》。